The Slave of the "Black Knights" is
Recruited by the "White Adventurer's Guild"
as a S Rank Adventurer

CONTENTS

"⋯⋯언제까지 주무르고 있을 거야?"

쿵!

진짜 살의가 담긴 검이

얼굴을 아슬아슬하게 스치듯이 꽂혔다.

피하지 않았으면 틀림없이

죽었을 것이다.

커버 그림, 본문 일러스트 | **유우야**

제 9 장

되살아나는 푸른 검사

The Slave of the "Black Knights" is
Recruited by the "White Adventurer's Guild"
as a S Rank Adventurer

제1화 이변

수인족령에서 성검을 탈환한 우리는 크제라 왕국의 영지로 돌아왔다.

그러나 여전히 사람들의 가시 돋친 시선이 가슴을 찔러댔다.

수인들과는 화해한 만큼, 오랜만이라 그런지 그들의 시선들이 새삼스럽게 느껴졌다.

"무표정하지만 무슨 말을 하고 싶은지는 알겠어. 이 시선이 괴로운 거지?"

쿠에나가 입가를 가리면서 즐거운 듯이 웃으며 속삭였다.

날 배려해서 일부러 가벼운 분위기를 만들려는 것이다.

이런 상황에는 그녀의 따뜻한 시선만이 구원이다.

"최근에 배운 말이 있어. 눈은 마음의 창이라는 말."

"뭐, 지드는 강하니까 대놓고 말할 수 있는 사람도 별로 없겠지만, 눈빛들은 더 수다스러워졌네."

"용사가 되기를 거절한 게 이리도 성가신 선택일 줄은."

이런 일이 계속되면 기분이 좋을 수가 없다.

"그래? 지드가 생각하고 내린 결단이라면 난 괜찮다고 생각하는데. 문제는 지드의 선택이 아니라 사람들의 호감도가 아닐까?"

그 문제가 나에게는 가장 큰 난관이다.

하지만 쿠에나도 그런 건 당연히 잘 알고 있겠지. 그녀 또한 피부로 느끼고 있을 것이다.

나는 미안함이 담긴 한숨을 쉬었다.

"언젠가는 나아지길 빌어야지……."

"호감이란 금방 변하는 거야. 결국엔 사람의 마음이니까. 나도 그랬어."

"쿠에나도?"

"난 어릴 적에는 웨이라 제국의 궁정에 있었는데, 당시의 어른들은 날 업신여겼어. 몸짓이나 말투를 보면 그들이 무슨 생각을 하는지 빤히 보였으니까, 날 얕보는 걸 금방 깨달았지."

아이는 의외로 감이 좋다.

어른만큼 주위를 볼 때도 있다.

그래서 낫지 않는 상처가 마음에 남는 일도 있다.

나는 쭈뼛거리면서 입을 열었다.

"무슨 일이 있었는데? 말하고 싶지 않으면 어쩔 수 없지만."

"음, '외교 수단으로는 써먹을 수 있다', 뭐 그런 거?"

"외교 수단……."

들은 적이 있는 단어다. 군사적 행동 등이 그렇다. 결혼도 정략의 일환이 될 수 있다.

쿠에나의 경우에는 후자를 가리키는 것이리라.

"언젠가 파티가 열렸는데, 귀족과 장교가 누구라고 할 것 없이 내게 외국인을 소개하더라. 그 귀족들은 루이나의 파벌과는 거리가 먼 사람들뿐이었어. 루이나의 후원회에도 초대받지 못한 자들이었지."

그래서 그들은 내게 주목한 거야, 하고 쿠에나가 이어서 말했다.

"자기와 연줄이 있는 세력과 황녀를 묶으면, 자신의 영향력을 키울 수 있으니까. 그럼 루이나의 산하에 들어가지 않아도 살아남을 수 있지. ……다들 같은 목적이었어."

쿠에나는 굉장히 불쾌한 묻혀있던 기억을 파내고 있는 듯했다.

그런 모습을 보고 동조해서 나까지 괴로워졌다.

"쿠에나가 너무 깊게 생각한 거 아닐까?"

"물론 그럴지도 모르지. 하지만 그들이 나에게 데려온 외국인은 하나같이 중년이거나 빈말로도 격이 높다고는 할 수 없는 자들뿐이었어. 내가 반쪽짜리 핏줄인 걸 알기에 얕본 거지."

만약 상대가 루이나였다면, 적어도 어딘가의 왕자쯤은 되어야 말을 붙일 수 있었으리라.

그러나 쿠에나는 여제가 될 일이 없다. 그래서 외교 수단으로 이용하려고 했다.

"그런데 어느 날, 내 형제 한 명이 죽었어. 의도치 않게 내 계승권이 올라갔지. 웨이라 제국은 형제 중에 단 한 명만 영토를 이어받아. 다시 말해, 내 계승권이 올라갈수록 가능성이 생기는 거지. 그러자 제국에서도 나와 혼약을 맺으려는 사람들이 나타나기 시작했어."

"오우……."

이야기를 듣기만 해도 약간 질투가 났다.

만약 그때 쿠에나가 누군가와 약혼을 했다면…….

내가 생각해도 난 참 속이 좁다.

"그 무렵에는 이미 제왕이나 여제의 자리에 흥미가 없었는데 말이야. 제국에서는 혹여나 형제끼리 죽이거나 혼란을 일으키지 않도록 제국에서 일어났던 권력 다툼의 역사는 알려주지 않았지만, 난 그 역사를 이미 알고 있었어. 전부 바보같이 느껴졌지."

쿠에나가 쓴웃음을 지었다.

그녀가 웨이라 제국을 나온 건 그 이후의 일일 것이다.

"물론 지드의 상황은 나 때와는 달라. 하지만 때와 상황에 따라 사람의 마음은 변화하기 마련이야. 언제까지고 계속 똑같을 수는 없어. ……모두가 꼭 그런 건 아닌 것 같지만……."

"그건 무슨 의미야?"

뒤에 덧붙인 한마디를 듣고 고개를 갸웃했다.

대체로 납득가는 말이었는데, 예외가 있는 모양이었다.

"실라가 널 좋아하는 마음을 보고 생각이 조금 바뀌었어. 그 아이는 항상 올곧으니까."

쾌활한 금발 소녀를 떠올려 나도 모르게 웃음이 흘러나왔다.

실라에겐 자연스럽게 사람을 치유해주는 신기한 매력이 있다.

분명 마음을 솔직하게 전하기 때문일 것이다. ……생각하니 부끄러워진다. 얼굴, 안 빨개졌겠지?

"······나도 감화돼버렸고."

쿠에나가 옆에서 중얼거렸다.

······얼굴, 안 빨개졌겠지?

"그럼, 걔를 맞이하기 위해 빨리 일을 끝내자."

"어어, 그래야지."

겨우 되찾은 성검을 한 손에 들고 크제라 왕도에 있는 진 · 아스테라교의 교회로 걸음을 옮겼다.

아스테라의 교회.

물론 나는 정면에서 대놓고 들어갈 수 없었다.

나는 사람의 왕래가 적은 신전의 뒷문 앞에 와있었다.

여신 아스테라의 신탁을 거절한 내가 정문으로 당당하게 들어오면, 신자와 무슨 충돌이 일어나도 이상하지 않으니까.

하지만 이 교회에는 나와 스피의 관계를 아는 사람이 있다.

신성공화국에서 일어난 '7대 마귀족' 유세프의 침략 전쟁 당시 현장에 있었던 신부가 크제라의 교회에 부임해 있었다.

"어라, 지드 씨. 무슨 일 있나요?"

신부는 날 봐도 태도나 말투가 변하지 않았다.

그 이후로 딱히 이렇다 할 교류를 한 건 없지만, 이런 반응이라면 이야기해도 문제없을 것 같았다.

"스피를 만날 수 있을까? 길드를 그만뒀는지 연락이 안 돼."

스피는 실라의 권유로 일시적으로 같은 파티가 됐었다. 하지만 어느 틈엔가 길드의 명부에서 이름이 사라졌다.

같은 파티라면 연락할 방법이 있었겠지만, 지금은 그것도 불가능했다.

"스피 님은 현재 공사다망하셔서 저도 종적을 쫓을 수 없습니다."

성녀가 되었으니 바쁜 건 당연하다. 그건 어쩔 수 없는 일이고, 애초에 쉽게 만날 수 있으리라 생각하지도 않았다.

하지만 신부의 대답은 조금 의외였다.

"종적을 쫓을 수 없다니 무슨 뜻이지?"

의미심장한 말이다.

마치 행방불명이라도 된 듯이 말했다.

쿠에나가 캐물었다.

"혹시 아스테라 교회가 습격받은 사건 때문이야?"

"그렇습니다."

"어? 그건 무슨 또 이야기야?"

"최근에 뉴스가 났어. 아스테라 관련 건조물이 파괴되거나 집회가 습격을 받았대. 여러모로 큰일인 것 같아."

우리가 수인족령에 간 사이에 일어난 일일 것이다.

크제라 왕국의 영지를 벗어날 때까지 그런 이야기는 들은 적이 없다.

"스피는 괜찮아?"

마법에 소양이 다소 있지만, 아직 어린 소녀다.

전투를 감당하기는 어려울 것이다.

다친 스피의 모습이 뇌리를 스쳐 불안감에 가슴이 두근거렸다.

하지만 신부는 내 걱정을 진정시키듯이 싱긋 미소 지었다.

"다행히 스피 님은 무사하십니다. 현재 범인을 추적하고 있습니다만, 위험분자의 신병을 구속할 때까지 대사제급 미만은 면회를 거절하고 있습니다."

범인은 아직 잡히지 않은 건가.

이대로라면 스피도 만날 수 없을 것이다.

나도 돕는 편이 좋을지도 모른다.

"뭔가 도와줄 수 있는 일은 있어?"

"아쉽게도……."

"뭐, 그렇겠지. 미안해."

역시 내 협력은 받기 어려운 모양이었다.

용사가 임명을 거절한 일로 마음의 앙금을 만들고 싶지 않지만, 그럴 수 없을 정도로 중요한 칭호다.

"아니요. 그런 의미가 아닙니다. 저도 힘을 빌릴 수 있다면 부탁드리고 싶습니다만……."

"……?"

어째 말을 모호하게 하는군.

말하기 곤란한지 신부는 대화의 흐름을 바꾸듯이 표정을 바꾸었다.

"하지만 스피 님께 어떻게든 대응하실 수 있도록 제가 전해두겠습니다."

"그래, 잘 부탁해."

이 신부를 믿고 성검을 맡겨도 괜찮을 것 같지만, 그래서는 스스로 되찾은 의미가 없다. 가능하면 내 손으로 돌려주고 싶었다.

무엇보다 직접 만나서 스피가 길드를 그만둔 이유를 듣고 싶었다.

뭐, 굳이 서두르지 않아도 괜찮겠지.

스피의 안전이 먼저다.

뭐, 아직 새로운 용사가 정해졌다는 이야기도 듣지 못했으니, 성검은 아직 내가 가지고 있어도 괜찮겠지.

아스테라 습격 사건이 마음에 걸리긴 하지만, 멋대로 관여하면 사건을 악화시키기만 할 것이다.

"길드가 이 근처였지. 리프의 얼굴이라도 보고 갈까?"

교회에서 돌아오는 길에 쿠에나가 물었다.

딱히 거절할 이유도 없으니 수긍했다.

"그래. 나도 뭔가 재밌어 보이는 의뢰가 없는지 들어두고 싶고."

"너, 수인족 최강과 싸운 지 얼마 안 됐잖아……."

쿠에나가 살짝 뒷걸음질 쳤다.

아무래도 기겁한 모양이다.

일만 해서는 별로 좋지 않을지도 모르겠다.

그런 이야기를 하고 있으니, 어느새 익숙한 건물이 눈앞에 나타났다.

길드다. 안에 들어갔다.

"지드 씨, 수고 많으십니다."

접수원 아가씨가 말을 걸어왔다.

가볍게 인사했다.

다른 모험가들의 시선도 다른 곳만큼 날카롭지 않았다.

같은 직장의 동료라는 의식을 가지고 있는 걸까.

이곳은 정신적으로 편안하다.

"오늘은 무슨 일인가요?"

"리프를 만나러 왔어. 지금 길드에 있어?"

"지금은 부재중이십니다. '아스테라의 추종자'가 연 회담이 진행되고 있다고 해요."

"'아스테라의 추종자'라니?"

"아스테라교를 지지하는 유력자의 모임이에요. 진ㆍ아스테라교가 된 이후에는 더 세력을 넓히고 있대요."

"오호……. 알겠어. 고마워."

뭐, 용사가 되기를 거부한 나하고는 상관없는 모임이겠지.

아무튼 리프는 바쁜 모양이다.

"그럼 의뢰 게시판이나 볼까."

나는 턱에 손을 대고 재밌어 보이는 의뢰가 없나 살펴봤다.

"너도 참 한가하네."

"흠, 나랑 같이 있는 쿠에나는 어떻고?"

"그럼 나도 한가한 사람인 모양이지."

쿠에나가 큭큭 하고 웃었다.

그런 모습을 보고 나도 웃었다.

이 순간이 가능한 한 오래 이어졌으면 좋겠다고 생각했다. 하지만 약간 아쉬움이 느껴졌다.

──실라.

"실라가 집에 돌아와 있을지도 몰라. 오늘은 얌전히 돌아가자."

"아, 그렇네. 리프가 볼일이 있어 외출했다면 실라도 돌아왔겠구나."

쿠에나의 동의를 얻고 우리는 집으로 향했다.

쿠에나의 집.

문을 열고 둘이서 들어갔다.

"다녀왔습니다~. 실라 왔어?"

"자고 있나?"

평소 같으면 밝고 기운찬 목소리가 우리를 맞이했을 텐데.

하지만 오늘은 고요한 정적뿐이었다.

낮잠을 자는 게 아니라, 마치 생활감이 없는 듯한 차가움이 감돌았다.

안으로 들어가니 거실에 실라가 서 있었다.

"우왓! 역시 집에 있었구나……. 왜 대답이 없어. 깜짝 놀랐잖아."

쿠에나가 작은 비명을 질렀다.

쿠에나가 놀라는 게 당연했다.

나조차도 기척을 감지하지 못했을 정도였으니까.

"그 성검……."

"응? 아아, 수인국에서 무사히 찾아왔어."

실라가 처음으로 한 말은 성검 분실에 관한 사과나 인사 따위가 아니었다.

그녀의 관심은 오로지 내가 든 검에 향해있었다.

게다가 왠지 목소리에 억양이 없었다. 평소 실라의 쾌활함을 아는 나는 위화감을 느꼈다.

그러고 보니 마력도 낯선──.

"읏!"

검극.

검은 마력을 두른 수많은 검의 잔상이 달렸다.

순간적으로 일어난 일이라 완전히 피하지 못해 옷이 살짝 찢어졌다.

　약간 정도지만…… 이게 무슨 사태지?

"실라! 뭐 하는 거야?!"

실라는 쿠에나에게 검을 겨누지 않았다.

상황을 모르는 쿠에나가 실라에게 소리쳤다.

"쿠에나, 이 녀석은 실라가 아니야."

"어?"

내 정정에 쿠에나가 혼란스러워하는 듯했다.

용모, 목소리, 전부 실라다.

하지만 마력이 다르다.

검술의 수준도 다르다.

자세도 실라의 검술과 달랐다.

지금까지 싸웠던 어떤 검사들과도 다른 자세였다.

"넌 누구냐?"

"나? 너희가 아는 그 실라야."

실라가 장난스럽게 웃음을 지었다.

그 말이 진심이 아니라는 건 누가 봐도 명확했다.

쿠에나도 겨우 사태를 이해한 듯했다.

"……."

"역시 금방 들통나는구나. 뭐, 딱히 숨긴 것도 아니지만. 난 너희가 사검이라 부르던 존재야. 사람이었을 때의 이름은―― 아니, 그건 알 필요 없어. 일단 말해두겠지만, 이미 이 몸에 실라의 정신은 없어. 하지만 말이야, 몸은 진짜 실라의 몸이야."

"실라의 정신이 몸에 없다……? 설마 '대체 마법'인가? 대상과 자신의 몸을 바꾸는? 하지만 대체 마법은 온 대륙을 뒤져도 쓸 수 있는 사람이 손에 꼽을 정도인 초고도 마법인데……."

쿠에나가 실라의 몸 안에 있는 사람과 마법에 대해 가늠했다.

실라로 위장한 누군가는 기죽지 않고 미소를 씨익 지었다.

"어머, 지식이 대단하네."

"장난치지 마. 실라는 어딨지? 몸을 돌려줘."

쿠에나가 분노를 드러내면서 물었다. 친구의 몸을 빼앗아 마음대로 쓰고 있는 게 용납이 안 되는 것이리라.

"그건 안 되지만, 안심해. 걔는 안전한 곳에 있어. 나는 무관한 사람을 말려들게 할 정도로 한가하지 않거든."

"지드의 옷을 잘라먹은 것도 모자라 내 집을 어지르고 있는데?"

잘 보니 실라(위장)는 신발을 신고 있었다.

게다가 나와의 전투로 몇몇 가구를 쓰러뜨렸다.

"그건 미안해. ──그리고 한 가지 더 미안하다 해둘게."

날카로운 안광이 나와 쿠에나를 노려봤다.

그와 동시에 집 전체에 장치되어 있던 마법이 발동했다.

빨간색 검이 덮쳐왔다.

파란색 화살이 쏟아졌다.

초록색 창이 엄니를 드러냈다.

"──되도록 그 검은 영원히 발견되지 않았으면 했어!"

실라가 마법과 함께 공격해왔다.

"큭! 그만해!"

이 녀석의 실력은 진짜다.

실라의 몸으로 실라보다 강한 힘을 끌어내고 있다.

봐주며 상대할 수 없다.

발동작도 경쾌하다. 내 움직임에 맞춰 대응하고 있다. 마치 춤을 추는 것 같았다. 내가 뒤로 물러나면 앞으로 오고, 앞으로 가면 뒤로 물러났다. 약간의 착오도 없었다. 어떠한 전투 패턴에도 대응했다.

(그럼 호흡을 흩트려서 억누르는 수밖에!)

공격을 상반신 위주로 늘렸다. 놈의 시선이 내 상반신 쪽으로 향했다. 나는 후퇴하는 척하다가 발을 앞으로 내밀었다. ──이것도 간파했나?!

아니…… 어라?

"앗."

아마 서로 상처를 주지 않는다는 전제를 두고 싸우고 있었을 것이다.

생각해보면 살의는 없었다.

놈도 그저 성검을 빼앗기 위해서 싸우고 있었다.

그래서 성가신 공방전 끝에 넘어졌다.

실라의 몸이 내 위에 올라탄 형태가 되었다.

말랑…… 말랑.

부드럽고 탱탱한 감촉으로 양손이 가득 찼다.

한순간 상황이 이해되지 않았다.

하지만.

"뭐, 뭐뭐뭐! 뭐 하는 거야?!"

쿠에나가 소리를 질러 냉정해졌다.

(역시 커!)

신기하게 그런 감각이 되살아났다.

그러고 보니 옛날에도 이런 적이 있었지.

그건 크제라 기사단을 괴멸시킨 뒤의 일이었던가…….

그때 기억보다 더 커진 것 같은데.

성장기니까 그럴 수도 있나.

대체 앞으로 얼마나 더 커질까.

그런 감상이 순식간에 스쳐 지나갔다.

전투 중인데도 긴장감이 부족한 누긋한 시간이었다.

쿵!

진짜 살의가 담긴 검이 얼굴을 아슬아슬하게 스치듯이 꽂혔다.

피하지 않았으면 틀림없이 죽었을 것이다.

"……언제까지 주무르고 있을 거야?"

실라의 격분이 눈으로 전해졌다.

자기 몸이 아닌데도 소중하게 여기는 모양이다. 묘한 위화감을
느꼈지만, 먼저 머리를 숙였다.

"……죄송합니다."

"실라도 변태였지만…… 너도 만만치 않은 변태였구나. 이 변태!"

노도와 같은 기세로 검이 박혔다.

냉정한 척을 하고 있지만, 수치심은 감출 수 없는지 빈틈투성이다.

어쩔 수 없지.

나는 어린아이를 높이 들어 올리는 것처럼 실라의 겨드랑이를 안아 올렸다.

"으앗! 햐, 그만해!"

실라의 한심한 목소리가 울렸다.

검을 붕붕 휘두르고 있지만 맞을 기미조차 없었다. 어차피 이런 공격은 맞아도 아프지 않다.

"네 목적은 뭐냐? 이 성검인가?"

"……."

내 물음에 입을 다물었다.

몸에도 힘이 안 들어가 있다.

저항을 포기한 건 아닐 것이다.

그 증거로 검을 쥔 손은 경계를 게을리하지 않았다.

그 후 한동안 말없이 눈을 마주쳤다.

마치 평가하듯이.

"용사가 되기를 거절했으면서 성검은 왜 찾아온 거지?"

"이건 내가 잠시 맡아두고 있던 거야. 잃어버리면 당연히 찾아야지. 그리고 마땅히 있어야 할 곳에 돌려줄 거야. 그뿐이야."

"마땅히 있어야 할 곳이 어디지? 그 성검은…… 진정한 소유자는 이미 없는데……."

난…… 잠시 말을 잃었다.

그녀가 띤 표정이 괴로워 보였기 때문이다. 내 마음이 욱신욱신 아플 정도로. 그 얼굴에서 배어 나오는 감정은 연기로 낼 수 있는 것이 아니다.

"……그건 무슨 소리야? 이 검은 스피가 갖고 있던 건데?"

"용사를 말하는 거야. 지금은 몇 대 전인지 모르겠지만, 그건 용사의 것이었어."

"그래서 계승되어 온 거잖아."

"누가 그걸 허락했지? 성검 스스로가?"

"그 용사라는 녀석 아냐……?"

"그런 말을 본인이 했다면 그랬겠지!"

일변.

실라의 얼굴이 부정적인 감정을 품은 표정으로 변했다.

분노, 원망.

검은 마력이 그녀를 감쌌다.

"이건…… 전이!"

손을 뻗었다.

하지만 실라에게 닿지 않았다.

안 된다.

이미 늦었어——.

"그럼 안녕."

눈앞에서 그녀는 슥 하고 사라졌다.

마치 처음부터 없었던 것처럼.

그녀의 흔적은 어질러진 거실 뿐이었다.

"정말이지, 무슨 일이 일어나고 있는 거야?"

쿠에나가 고개를 갸웃거리면서 허리에 손을 대고 있었다.

바로 전투에서 상황 정리로 사고를 전환한 모양이다.

"……틀렸어. 탐지 마법에 안 걸려. 크제라 왕국에서 이탈했어. 여기서 녀석의 마력을 찾는 건 어려워."

"그럼 엄청 멀리 간 거잖아. 대체 마법뿐만 아니라 전이까지 쓸 수 있다니, 어떻게 된 거야?"

"그뿐만이 아냐. 검술 실력도 상당했어."

실라의 기량을 뛰어넘는 실력이었다.

다른 사람의 몸으로 그런 일이 가능한 것은 톱클래스 실력자 정도일 것이다.

"동감이야. 보통내기가 아니었어. 하아, 얘는 왜 귀찮은 녀석한테 몸을 빼앗겨서는……. 뭐가 어떻게 된 거야……?"

"쿠에나는 짐작 가는 녀석이 있어? 내 생각에 그 말투는……."

"사검이겠지. 원래는 사람이었고, 마법 실력은 톱클래스였던. 거기에 대체 마법을 써도 남의 몸은 익숙하지 않으니까 전투력이 떨어져야 하는데, 전혀 꿀리지 않는 검 실력. 그리고 말투로 보아

아마도 여자. 응, 용의자가 몇 명 떠오르네."

　상당히 자신이 있는 모양이었다.

　하긴 대체 마법 사용자 자체가 대륙에서도 손에 꼽을 정도밖에 없다고 했으니까. 역시 의지가 된다.

　"그럼 찾으러 가자."

　"어디로……?"

　"어디냐니, 실라를 찾으러 가야지. 몸이 바뀌어 있다면, 쿠에나가 생각해낸 녀석들의 몸에 진짜 실라가 들어가 있을 거 아니야?"

　"아아, 설명이 부족했구나."

　"……?"

　쿠에나가 의미심장하게 말을 이어나갔다.

　"내가 떠올린 분들은, 모두 이미 이 세상 사람들이 아니야."

　그 대답은 앞으로의 여정이 쉽지 않다는 의미였다.

　"그럼 쿠에나도 범인은 모른다는 건가."

　"안타깝게도. 실라가 연기했다고 하는 편이 차라리 나은 수준이지. 대체 마법은 처음부터 쓰지 않은 것으로 치고……. 자기와 다른 검술을 원래 실력보다 뛰어나게 구사하면서 전이 마법을 며칠 만에 익히기만 하면 돼."

　쿠에나가 그게 얼마나 어려운 일인지 모르지는 않을 것이다. 그녀도 나날이 피나는 노력을 해왔으니까.

무엇보다 실라가 그런 짓을 해서 얻는 이점이 없다.

하지만 정보통인 쿠에나도 그런 가설을 말해볼 정도로 상황은 부정적이었다.

이제 어떻게 해야 하나.

◇

'아스테라의 추종자'

그들의 집회는 비밀리에 이루어졌다.

자리에 모이는 면면들이 각계의 중진이기에 위험에 대비해 보안을 철저히 하는 것이다.

이번에는 A랭크 지정 구역인 '구가의 계곡'에서 진행되었다.

몇 년 전부터 이 집회를 열기 위해 관계자 몇 명이 비밀리에 지은 오각형 건조물.

이 건물은 마을 하나쯤은 손쉽게 파괴할 수 있는 강력한 마물조차 멀리 쫓아내고 있었다.

그만큼 강력한 방어 수단이 있다는 의미였다.

'인간 최대의 군사력을 보유한 여제'나 '수만에 달하는 전력을 가지고 각국을 지원하는 조직의 정상' 또한 이곳의 구성원이었다.

그 주인공인 루이나와 리프는 집회를 끝내고 둘이서 나란히 한산한 복도를 걷고 있었다.

"실라 건은 고맙네."

"뭘, 나로서도 지드를 적으로 돌리고 싶지 않았을 뿐이다. 놈과 싸울 바에는 '아스테라의 추종자'에서 빠지는 게 낫다."

"진심으로 하는 소린가?"

"여기서 경솔하게 진심을 드러낼 사람이 있을까?"

"……."

서로 시선을 맞췄다.

리프는 무엇이든 꿰뚫어 보는 눈동자로 바라봤다.

이에 맞서는 루이나는 마치 잡을 수 없는 천과 같이 눈이 표표했다.

둘 다 의도를 확인하기 위해 서로를 탐색했다.

두 사람이 서로를 신뢰하지 않는 것만은 확실했다.

집회에서는 협력 관계라고 해도, 그게 꼭 우호적이라는 뜻은 아니다. 그저 이해가 일치했을 뿐이다.

루이나는 리프가 아무 대답도 하지 않을 것이라 헤아리고 다른 이야기를 했다.

"그래서, 사정을 들을 수 있을까? 설마 그 금발 소녀── 실라였던가? 그자가 온 대륙에 지명수배를 받을만한 인물일 줄은 몰랐는데."

실라 건은 이번 집회의 의제 중 하나였다.

"아스테라의 교회, 신전, 조직원, 신상, 심지어 대성당까지 건드렸다지? 후후. 그중에 고아원을 피한 건 양심 때문인가? 하지만 이건 명백히 진·아스테라교를 향한 적대 행위야. 물론 이 모임의 대부분은 나처럼 연줄을 만들려고 이름만 올려둔 자들이겠지만, 어쨌든 대륙 최대의 종파라는 점은 변하지 않지. 즉 가장 큰 영향력을 지닌 조직이란 말인데, 그녀는 왜 이런 짓을 했을까?"

루이나는 온갖 가능성을 제시했다.

다른 종파와 결탁한 방해.

다른 종파와 결탁한 공격.

혹은 고난을 연출하기 위한 진·아스테라교에 의한 자작극.

혹은 상궤를 벗어난 자의 범행.

그러나 무엇하나 확신에 이르지는 못했다.

실라에 관한 정보가 적기 때문이다.

예전에는 크제라 기사단에 소속된 공인이었지만, 그마저도 길지 않았다.

친족은 있지만, 쿠데타를 일으킨 친아버지 란데 이슬라 외에 수상한 그림자는 없다.

기사단에서 나온 이후, 모험가 길드에 들어갔다는 게 전부.

그래서 루이나는 길드의 우두머리인 리프에게 물은 것이다.

하지만 리프의 눈동자는 막연했다.

거짓으로 답해도 루이나가 당장 진위를 판단할 수는 없겠지만.

그래도 리프는 대답했다.

"……모르겠군. 심경의 변화는 누구에게나 있지 않겠나."

루이나는 리프가 얼버무리는 걸 눈치챘다.

"그럼 길드에서 제적하는 게 어떤가? 지명수배 건에도 찬동해두면, 길드는 관계없다고 발뺌할 수 있지 않나. 뭐, 딱 좋은 이야깃거리가 되겠지만."

"이 몸도 지드가 무서우니 말이지~."

리프가 어쩔 수 없다는 듯이 말했다.

이는 루이나도 언급한 것이며, 지드가 적이 됐을 경우 얼마나 위험한지 헤아릴 수 없기 때문에, 더 따질 수가 없다.

하지만 루이나는 진심인 한편, 리프는 핑계로 이용했다. 그 대단한 루이나도 불쾌한 표정을 지었다.

"숨기는 건가?"

"뭐, 그 외에도 이유는 있네. 말했잖나. 한 번이라도 적을 뒀던 자가 대륙 전토에서 지명수배를 당하면 길드의 이름에 흠이 생기지. 무엇보다 몇 번이나 습격을 막지 못했다는 사실은 진·아스테라의 불신도 초래하는 결과로 이어지겠지."

준비해뒀던 정형문을 낭독한다.

그 정도의 영양가밖에 없는 대답이다.

루이나도 그 이상으로 파고들지는 않았다.

더한 정형문이 준비되어 있을 뿐이라는 것을 알고 있기 때문이다.

그래서 수법을 바꿨다.

"그 답은 앞으로 웨이라 제국의 원조, 더 나아가서는 내 후원이 없어도 상관없다는 뜻인가? 만약 내가 말을 거들지 않는다면 실라는 지명수배를 당하지 않을까?"

그건 협박이었다.

루이나의 말이 옳다. 웨이라 제국의 존재는 무시할 수 없다. 그녀의 기분을 상하게 하는 짓을 할 수 있는 자는 적다.

그런 짓을 저지르는 건 바보뿐이다.

하지만 리프는 단호한 태도로 표정을 흐트러뜨리지 않았다.

"심한 억측이네."

"크흐흐, 그런가. 뭔가 있는 것처럼 보인 건 내 기분 탓이었나?"

루이나가 거듭해서 확인했다.

간이 작은 사람이라면 최소 땀 한 방울쯤은 흘렸을 것이다. 마치 뱀이 노려보고 있는 듯한 압력이다.

하지만 리프는 다시 단언했다.

"그래, 여제도 틀리는 경우가 있겠지."

그 대단한 루이나도 더 이상 억지로 리프에게서 말을 더 끄집어내려고 하진 않았다.

하지만 루이나는 지기 싫어하는 마음이 강했다.

"그런가. 틀렸다고 하니, 지드를 적으로 돌리는 행위는 잘못된 행동이지. 스틸비츠 왕국에 침공했을 때는 내가 자랑하는 군대의 태반이 기능을 못 하게 됐었지."

"그 침공의 진짜 목적은 제국군 내부의 청소이지 않나. 나쁜 일만 있었던 건 아니었을 터인데."

리프는 그 당시에 웨이라 제국이 각국과 조약을 체결하고 있었던 것을 알고 있다. 내용은 상호 불가침이다.

루이나가 내란을 예측했다는 사실은 의심할 여지가 없다.

그리고 루이나도 숨기려 하지 않았다.

"뭐, 그런 측면도 있었지. 하지만 지드라는 괴물의 분노를 사지 않는 편이 좋은 건 확실해. 그렇지?"

"무슨 말을 하고 싶은 겐가."

"만약 실라를 지키지 못한다면 그의 분노는 어디로 향할까? 소중한 것을 잃은 아픔은 시간이 치유해주지만 긴 시간이 필요해. 그런데 그 남자는 하루에 어느 정도의 일을 해치울 수 있을까?"

──예를 들어, 라고 말하며 이어나갔다.

"'지켜줬어야 했다'라는 이유만으로 되레 원한을 사지 않겠나?"

그건 길드의 위기를 시사하는 말이었다. 지드에 대한 불신감도 심어주겠다는 속셈도 있었을지도 모른다.

하지만 리프는 역시 빈틈을 내주지는 않았다.

"그렇게는 안 할 게야, 그 녀석은."

"그를 몹시 신뢰하는 것 같군. 뭐, 어느 쪽이든 빨리 실라를 찾아야겠지."

──토벌당하기 전에.

그 말만은 리프의 가슴에 강하게 남았다. 정곡이라는 것과 자신의 원한으로 새겨져 있는 것이 요인이었기 때문이다.

대륙 전역에 지명수배되는 것만은 피했다.

하지만 지명수배를 당하지 않았을 뿐이지 실라는 이미 죄인이며 각국의 치안 유지를 담당하는 조직은 토벌 대상으로 간주하고 있다.

설령 리프가 회합의 장에서 변명했다 하더라도 실라가 토벌을 피할 수는 없었을 것이다.

그녀의 범죄는 의심할 여지 없이 지금도 계속되고 있으니까.

◇

황금색 머리카락이 나부낀다.

몸의 라인도 완벽에 가깝다.

반듯한 얼굴도 매력을 두드러지게 했다.

그 아름다운 모습에는 모두가 숨을 죽일 것이다.

하지만 현재 그녀—— 실라는 다른 의미로 숨을 죽이게 했다.

기사 한 명이 힘이 풀려 주저앉으면서 눈꼬리에 눈물을 글썽였다.

그는 고향에서 제일가는 실력자였다.

소년 시절부터 마물 토벌에 참여했다.

신성공화국의 기사 학교에서는 상위권이었고, 부대에 배속된 뒤에도 장래를 촉망받았다.

하지만 그를 입을 모아 칭찬해주던 동료들은 바닥에 쓰러져 있었다.

"괴, 괴물······!"

보통 교회에 기사가 부대 규모로 배치되는 일은 없다.

아무리 습격자가 온다지만, 그들조차 '과한 전력을 배치했다'고 우습게 여겼다.

그만큼 자신이 있었고 자만하고 있었다.

하지만 모든 방도가 사라졌다.

저항할 방법은 이제 없다.

그만큼 상대의 격이 달랐다.

기사인 이상 물러날 수는 없다. 어떤 상황에도 그런 각오는 하고 있었다.

무슨 짓을 해도 소용없다는 걸 아는데 행동할 수 있는 사람은 적다.

그 마음은 그가 우수하다는 것을 증명하고 있었다.

"후우."

꺼림칙한 검을 한 손에 들고 소년은 한숨을 쉬었다.

가벼운 작업을 끝냈을 때처럼.

잠시 후에 뒤에 있던 아스테라 교회가 무너졌다.

조금 전의 습격으로 약해진 기둥이 결국 지탱할 수 없게 되어 붕괴한 것이다.

불이 난 원인은 확실하지 않다.

양초인지, 횃불인지, 실라인지.

어쨌든 교회가 불꽃에 휩싸였다.

"……응?"

실라가 길가에 마름모꼴의 매직 아이템이 있다는 것을 알아차렸다.

그걸 주워서 기사에게 보여줬다.

"이건 뭐지? 방어용 매직 아이템은 아니겠지?"

"……!"

기사는 확실하게 동요한 얼굴을 보였다.

그리고 퍼뜩 숨죽이고 입을 굳게 닫았다.

"그렇게 중요한 거야? 이런 곳에 굴러다니고 있는데?"

"……."

"흠~. 입을 억지로 여는 건 잘 못하는데. 뭐, 입 다물고 있을 거라면 각오는 해둬."

사검이 괴이하게 빛났다.

힘의 차이는 명확했다.

하지만 그 또한 기사.

고통은 익숙했다.

고문을 견디는 훈련도 받아왔다.

정신력만은 튼튼하다고 자부했다.

그래서 기사는 혀를 깨물었다.

자기 실력으로 실라를 포박하는 것은 불가능하다.

막을 수도 없다.

그러니 적어도 정보누출만은 막아야했다.

이것이 그가 할 수 있는 최선이었다.

"어머……. 좋아, 그 각오를 봐서 이번에는 봐줄게. 다들 이곳으로 몰려오는 것 같으니까 죽지는 않겠네."

명백하게 귀중한 물건이었지만, 실라는 매직 아이템을 던져 버렸다.

원래라면 가져가서 해체하거나 분석하거나 해야 하지만, 그건 그녀의 본분이 아니다.

더구나 은밀하게 움직이고 있다.

그렇다면 부주의하게 물건은 가져가지 않는 편이 안전하다고 생각했다.

하지만 신중한 그녀의 행동도 이번만큼은 오답이었다.

혹은── 네림이라 불리던 때의 그녀였다면, 이런 실수는 저지르지 않았을지도 모른다.

제2화 네림이라는 존재

네림은 귀족 출생이었다.

작지도 않지만 크지도 않은 그런 변경의 영지를 다스리는 후작 아버지와 이름 있는 자작 집안에서 시집온 어머니.

적자가 있고 언니도 있다.

후계자 다툼이 일어날 만큼 토지가 풍족하지도 않고, 가족이 욕심이 많지도 않았다.

그 덕에 원만한 가정을 이루고 있었다.

"슬슬 국립 기사 육성 학원이냐, 궁립 공관 학교에 가느냐, 혹은 집에 있느냐, 선택해야 하는구나."

아버지가 네림에게 물었다.

네림도 열두 살이 되어 인생의 갈림길에 서 있었다.

하지만 부모는 가정교사를 붙이지 않고 네림을 자기들의 손으로 키우고 있었다. 때문에 네림에겐 인생에 대해 깊이 생각할 여지가 없었다.

자연스럽게 '학교는 귀찮다'라는 인식이 어렴풋하게 뇌리를 스쳤다.

"집에 있어도 돼?"

네림은 어리광을 부리듯이 말했다.

그게 편할 것이라 믿고 있었다.

부모는 고개를 끄덕이고 네림이 집에 머무르는 것을 환영했다.

네림은 그 대답을 기뻐했지만, 2년이 지난 뒤부터 크게 변했다.

"그런 말 못 들었어! 왜 결혼해야 하는 거야!"

"어…… 아버지를 곤란하게 만들지 말아라……. 그리고 상대도 좋은 사람이잖아. 이 그림을 한 번 봐라."

아버지가 네림에게 보여준 것은 한 장의 그림이었다.

백마를 탄 멋진 청년의 모습이 그려져 있었다.

얼굴이 늠름하고 단정해서 귀부인들 사이에서 소문이 끊이지 않을 것이다.

하지만 네림은 경멸하는 표정이었다.

"파티에서 만난 적 있잖아! 그림이랑 전혀 달라! 엄청 못생겼잖아!"

이전에 어딘가의 대귀족이 주최한 파티.

온 나라 각지의 귀족이 모였고, 네림도 참가했다.

그녀의 화려한 모습은 주목의 대상이었다.

이렇게 아버지가 소개한 청년도 네림을 주목했던 사람이었던 것이다.

하지만 네림은 알고 있었다.

그 남자가 자기 취향이 아니라는 것을. 거리낌 없이 말하자면 용모가 추악하다는 것을.

"……애야."

아버지가 한숨을 쉬면서 이어서 말했다.

"넌 학교에 가지 않았어. 그렇게 되면 필연적으로 시집을 가는 것 말고는 할 수 있는 일이 없지 않으냐. 넌 열네 살이 되었다. 그런데 뭘 할 수 있지? 학문도 모르는가 하면 검도 쥐지 못하잖느냐."

그건 정론이었다.

하지만 그렇게 되도록 한 것도 아버지다.

자신의 인생에 대해 생각하지 않은 네림에게도 책임은 있지만, 아버지의 발언에 모순이 있다는 것을 직감하고 짜증을 냈다.

"그럼 집에서 나갈래!"

가는 말이 고와야 오는 말이 고운 법이다.

적어도 계획성 있는 행동은 아니었다.

"마음대로 해라!"

아버지도 사리분별 못하는 딸을 야단쳤다. 어차피 아무것도 못하고 집에 돌아올 것으로 얕봤기 때문이었다.

네림은 방에서 돈이 되는 물건과 조상 대대로 내려오는 검을 가지고 집을 나서게 되었다.

그리고 몸이 가는 대로 안전한 도시에서 벗어났다.

해 질 녘.

이제 곧 달빛이 비칠 시간이다.

(……역시 돌아갈까.)

뒤를 돌아봤다.

어둠이 하늘의 절반을 삼키고 있었지만, 네림이 있었던 도시만은 성대하게 밝았다.

아주 약간의 유혹이 네림의 가슴을 스쳐 지나갔다.

여기서 돌아갔다면── 어쩌면 미래의 대륙의 세력도는 바뀌어 있었을지도 모른다.

(아냐, 이대로 돌아가도 울화통이 터질 거야!)

네림이 집에서 가지고 나온 검을 쥐고 숲속의 짐승들이 다니는 길로 들어갔다.

목적지는 없다.

계획이 없으니 당연하다.

문득 발에 위화감을 느꼈다.

(아야야…….)

네림이 큰 나무에 걸터앉았다.

그리고 하이힐을 벗고 발의 상태를 확인했다.

(빨개졌어. 신발을 잘못 골랐어.)

하이힐은 험한 길을 걷기에는 굉장히 적합하지 않은 신발이다.

숙련자에게 물어보면 대실패라고 비웃음 살 정도로.

하지만 네림은 눈치채지 못했다.

숲을 걸을 때 장비가 중시된다는 것을 모르기 때문이다.

게다가 지금 네림이 있는 숲이 마물도 배회하는 위험한 곳이라는 것조차 몰랐다.

(여긴 어딜까?)

네림은 성격이 비교적 어른스러웠다.

그래서 아버지도 애먹는 일은 없었다.

이번 결혼도 네림이 혐오감을 품을 정도의 얼굴이 아니었다면, 어쩌면 순순히 받아들였을지도 모른다.

아버지도 그렇게 생각하고 있었기 때문에 예상 밖의 반격을 당해 동요하여 분노에 몸을 맡기고 행동해버린 것이다.

그렇다고는 해도 그건 이미 지난 일이었다.

돌아오지 않는 네림을 걱정한 어머니가 설득도 해서 아버지는 사병을 곳곳에 보내 네림을 찾게 했지만, 결국 네림을 찾지 못했다.

이게 장래를 크게 바꾸는 사건이 될 줄은 몰랐고, 네림의 머릿속에는 눈앞에 닥친 일밖에 없었다.

(아──.)

바람이 살랑살랑 불었다.

처음엔 그렇게 착각했다.

하지만 왼팔에 뜨거운 것이 흐르는 감촉이 느껴지자 곧 공격당했다는 걸 깨달았다.

「그르르르……!」

마물 한 마리가 본능대로 침을 흘리며 네림을 보고 있었다.

검고 윤기가 흐르는 털은 그럭저럭 괜찮은 값을 받는 모양이지만, 이 녀석은 기껏해야 대형견 크기라 위험에 비해 소득은 별로였다.

D랭크 블랙 울프.

홀로 움직이는 고고한 마물인데, 어둠에 스며드는 털 색깔과 부드러운 몸을 지닌, 우수한 밤의 사냥꾼이다.

"아으…… 큭!"

그러나 당시의 네림은 마물의 이름조차 몰랐다.

순간적으로 검을 뽑은 건 집을 나올 때 화낸 반동으로 머리가 식어있었기 때문이다.

네림의 적의를 보고 블랙 울프는 순식간에 끝장을 내려고 움직이기 시작했다.

앞발로 크게 뛰어올라 네림의 목에 달려들었다.

목을 꺾으면 감지덕지.

그렇게 하지 못하더라도 자세를 무너뜨릴 수 있다.

마물치고는 정확한 판단이었다.

더구나 네림은 확실히 약해 보였다. 마물의 사냥이 실패할 가능성은 적은 듯이 보였다.

그래서 마물은 위기를 깨닫지 못했다.

그러나 마물을 책망할 수는 없다.

이 아이가 이후에 '역대 최강의 검성'이라 불리게 될 것을 마물이 알 길이 없으니까.

(——윽!)

누구도 흉내 낼 수 없기에 천부적인 재능이라 한다.

이제 막 해가 져서 밤눈조차 밝아지지 않은 상황.

갑작스러운 습격.

울고 싶어질 정도의 아픔.

숲까지 신고 온 하이힐.

그리고 처음 쥐어본 검.

심지어 이 마물과 달리 그녀는 무언가와 싸운 경험조차 없다.

그런데도.

──네림은 블랙 울프의 턱과 머리를 정확하게 꿰뚫었다.

「컹──.」

짧은 단말마를 흘리며 블랙 울프가 절명했다.

그것이 네림의 첫 전투이자 첫 승리였다.

이게 과연 우연이었을까?

아니, 이 승리는 필연이었다.

네림의 눈은 마물의 움직임을 정확하게 읽어냈다.

검을 쥔 몸을 신경 말단까지 완벽하게 제어했다.

그녀는 태어날 때부터 강자의 재능이 있었다.

하지만 네림이 그걸 깨달은 것은 몇 박자 뒤였다.

"……어라?"

시야가 내려간다.

다리에 힘이 풀렸다.

덜커덕 하고 마물을 꿴 검이 땅에 떨어졌다.

(내가 죽인 거야?)

눈물이 흘렀다.

죄악감과 기분 나쁜 감촉, 누구에게도 도움을 받을 수 없다는 절망이 뒤섞인 결과, 머릿속에서 혼란이 생겨났다.

하지만 쉴 틈은 없다.

피 냄새에 이끌린 사나운 야행성 짐승들이 엄니를 드러내고 네림을 덮칠 테니까.

이윽고 아침이 되도록 살아남은 것은 전적으로 그녀의 재능 덕이었다.

◇

네림이 집을 떠나고 5년이 지났다.

그녀는 독자적인 검술을 구사하며 '무류의 검'이라 불리는 경지에 이르렀다.

때로는 용병으로서, 때로는 호위로서, 때로는 식객으로서 각지를 유랑했다.

이름을 날린 이후 대귀족이나 강자로부터 구혼을 받았지만, 받아들이지는 않았다.

그녀는 결혼을 거절한 것이 계기가 되어 지금에 이르렀다.

그런데 지금에 와서 구혼을 받아들이면 마치 자신이 변할 것만 같은 느낌이 든 탓이었다.

지금은 용병 일을 마치고 호화로운 숙소를 잡아 잠깐 쉬고 있었다.

"네림 씨, 편지입니다."

여주인의 목소리와 함께 문 아래로 하얀 봉투가 들어왔다.

네림은 '고마워'라고 대답한 뒤에 편지를 열었다.

이런 일은 드물지 않았고, 기린아인 네림을 보거나 자신의 것으로 만들려고 하는 편지가 신물이 날 정도로 왔다.

유랑하는 몸인데도 자신이 체재하는 곳에 대한 정보가 오간다. 그 거북한 느낌에는 이미 익숙해져 있었다.

자, 이번에도 예외 없이 보낸 사람은 귀족 부인이었다.

하지만 눈길을 끈 것은 가문명이었다.

바로 알 수 있었다. 본가다.

(그러고 보니 오랫동안 고향의 땅을 밟지 않았구나.)

조국에서는 전쟁이 빈발해서 소국에도 발목을 잡히고 있다는 말을 들은 적이 있다.

용병으로서 초빙된 적은 있었지만, 왠지 거북해서 돌아갈 마음은 들지 않았었다.

무엇보다 소원해진 가족에게서 편지가 오는 일이 없었다.

네림은 유명해졌다.

본가가 모를 리 없다.

그렇다면 딸에게 한 번쯤은 연락해야 하는 게 아닌가.

네림은 마음속으로 그런 생각을 하고 있었다.

그것도 의식적으로 돌아가려고 하지 않는 이유 중 하나였다.

하지만 그런 마음은 편지의 글자를 읽어감에 따라 후회로 변해 갔다.

(어째서……)

아버지의 죽음.

장남의 죽음.

어느 제국과의 전쟁에서 최전선의 영지가 되어 진두지휘를 한 두 사람의 죽음이 확인되었다.

네림의 손이 천천히 떨렸다.

돌이켜보면 자신은 불효자였다.

열네 살이 될 때까지 아무 생각도 하지 않고 귀여움을 받으며 자랐고, 집에서 뛰쳐나왔을 때는 멋대로 돈이 될만한 물건과 검을 가지고 나왔다──.

마지막까지 폐를 끼치기만 한 것이 뇌리를 스쳐 지나갔다.

두 사람이 죽어서 때마침 그런 생각이 든 것이 아니다.

전부터 마음 아프게 생각하고 있었기에 눈 깜짝할 사이에 네림은 눈물을 흘리고 있었다.

네림이 다시 고향 땅을 밟을 결의를 다진 것은 몇 순간 후였다.

◇

네림의 집안은 영지를 잃고 왕도로 거주지를 옮겼다.

작위는 격하되어 지금은 자작 대우를 받고 있다.

그리고 네림의 언니이자 문관이었던 장녀가 당주를 계승했다.

호적에 이름이 남아있고 어머니와 당주도 자신을 책망하지 않았기에, 네림은 기사가 되어 왕국 수호에 힘쓰게 되었다.

왕국의 영토는 전성기에 비하면 3분의 2까지 줄었고, 지금도 소국과 싸우고 있었다.

왕국은 암리야.

적은 스틸비츠.

병력은 암리야 왕국이 크게 리드하고 있었지만, 그 차이를 메우고도 남는 실력자가 소국 스틸비츠에 존재했다.

암리야 왕국과 스틸비츠 왕국의 군세가 대치하고 있었다.

침을 삼키는 소리마저 들릴 정도의 정적에 휩싸인 불모의 대지.

스틸비츠의 선두에 서 있는 황금색 머리칼을 가진 소녀가 유달리 이채를 띠고 있었다.

(저게 '성원' 헤토아 스틸비츠.)

네림은 헤토아와 전장에서 마주친 적도, 함께 싸운 적도 없다.

하지만 대륙에 그 이름을 모르는 자는 없다.

물론 네림도 그 이름을 알고 있다.

소국의 공주이면서도 전장에 나오면 예사롭지 않은 전과를 올린다.

(과연, 이 위압감은 대단해.)

암리야 왕국은 강대국 중 하나였다.

대규모 군비를 등에 업고 각국의 토지와 자산 청구권을 획득하는 것으로 영토를 확대하고 있었다.

하지만 스틸비츠에서의 제1차 전투에서 대패한 것이 계기가 되어 지금까지 얻은 청구권이 파기되었고, 각국에 영토를 빼앗기고 말았다.

종이 크게 울렸다.

보통은 뿔피리나 북, 징 등을 사용하지만, 암리야 왕국은 종을 사용한다. 물론 용도는 같다.

(――전투 개시 신호.)

이것이 네림이 암리야 왕국의 일원으로서 나서는 첫 전장이었다.

헤토아를 상대하는 자는 암리야 왕국의 근위 기사단장, 궁정 마법단 단장 등, 쟁쟁한 사람들이었다.

거기에 네림은 포함되어 있지 않다.

첫 전장이란 점을 고려하여 네림은 후방 진영에 배치되었다.

(작전 내용은 단순하지만 견실해. 전력의 핵심인 헤토아의 발을 묶고, 잔병들을 각개격파 하면 될 뿐이야…….)

실제로 작전은 담담하게 진행되었다.

부상자가 나오긴 했지만, 헤토아를 몰아넣었다.

그러나 네림은 헤토아에게서 시선을 뗄 수가 없었다.

검술과 마법 실력이 그 누구보다 뛰어났다.

헤토아가 싸우는 모습은 다른 자를 매료했다.

"네림 공, 슬슬 우리 부대도 가야하네. 상대의 본진에 결정타를 가할 때일세."

"알겠습니다."

네림이 소속된 부대도 움직이기 시작했다.

그녀 속에는 헤토아의 싸움을 지켜보고 싶었지만, 감정 컨트롤은 전장에 있어서 필수적인 기술이다. 자신의 욕망을 억누르면서 부대 선봉에 서서 나아가려다가――.

갑자기 전장에 대규모 탁류가 밀어닥쳤다.

"이건……!"

몹시 혼잡했던 전장이 비극의 양상을 띠었다.

다행히 후방에 있는 네림 일행은 피해가 없었다.

하지만 헤토아가 있던 최전방은 순식간에 급류에 휩쓸렸다.

"어, 어떻게 된 거냐!"

부대장의 목소리가 울려 퍼졌다.

암리야 왕국의 작전에는 없었다.

"스틸비츠의 작전일까요……?"

네림이 턱에 손을 대면서 생각했다.

암리야 왕국과 스틸비츠 왕국의 병력 차이는 명백했다.

우리에게 큰 피해를 줄 수 있다면 아군의 희생도 다소 감수할지도 모른다.

조금이라도 전력 차이가 줄어든다면 스틸비츠로에는 이득이니까.

하지만 네림은 이 공격이 적의 책략이라고 단언할 수 없었다.

(스틸비츠의 움직임이 너무 느려…….)

왕국군의 구출과 철수가 시작되었다.

하지만 스틸비츠군은 공격에 나서지 않았다.

어쩌면 암리야 왕국이 우세한 상황이었기 때문에 스틸비츠 측이 시간을 벌기 위해 부린 수작일 가능성도 있다.

하지만 그런 것 치고는 스틸비츠 측이 크게 당황한 것처럼 느껴졌다.

무엇보다,

(……너무 막무가내야. 스틸비츠의 방침엔 맞지 않아.)

작전 내용에는 나라나 지휘관의 개성이 나온다.

이 자폭은 네림이 아는 스틸비츠의 전투 방식이 아니었다.

'_____.'

특징적인 악기 소리가 전장에 흘렀다.

그건 스틸비츠의 진영에서 나오는 소리였다.

(물러간다…… 역시 어느 쪽과도 상관없는 자연 현상이었나?)

양 진영은 허둥거리면서 강제적으로 격리되었다.

이날, 탁류를 만들어낸 원흉을 알지 못하고 전장은 다음날을 맞이했다.

전황이 고착되는 경우는 많이 있다.

암리야 왕국과 스틸비츠 왕국의 싸움도 마찬가지로 길어지고 있었다.

"네림 공, 통지다."

야영지에서 부대장이 네림에게 말을 걸었다.

식량 배급을 받으러 가던 네림은 일단 걸음을 멈추고 경례했다.

부대장은 경례를 받아주고 자세를 바로 했다.

"일전의 탁류로 인해 헤토아의 발을 묶는 전력에 결원이 생겼다."

"……그럼 제가?"

"짐작한 바와 같다. 하지만 무리해서 연계할 필요는 없다. 헤토아를 전장에서 격리하기만 하면 된다."

"최선을 다하겠습니다. 하지만 그녀가 무사할까요?"

그런 상황에서는 살지 못했을 가능성도 있다.

하지만 네림은 질문하면서도 확신이 있었다. 그 정도로는 헤토아를 어떻게 할 수 없다는 확신을.

실제로 부대장은 네림의 질문에 고개를 끄덕였다.

"헤토아가 탁류에서 탈출하는 모습을 목격한 자가 있다. 게다가 혼란을 틈타 전장의 부상자를 구출하고 있었다고 한다."

"과연──."

훌륭하군요.

라고 말할 뻔했다가 멈췄다.

헤토아는 적이다.

칭찬은 할 수 없다.

하지만 부대장도 헤아리고 쓴웃음을 짓고 있었다.

"안심해도 된다. 네림 공의 심경도 이해가 가. 나도 오랫동안 암리야 왕국에 없었던 시기가 있었지. 용병으로서 싸웠으니 오늘의 적이 다음날에는 아군이 되는 일도 있었지. 헤토아에게 전사로서 경의를 표하는 건 평범한 일이지."

"그렇군요……."

"힘에 부칠 텐데 사람까지 구하다니…… 여유가 있는 건지, 인격자인 건지. 둘 다일지도 모르지. 만약 싸움이 계속됐다면 헤토아가 다시 밀어붙였을지도── 아니, 말이 지나쳤군."

부대장이 머리를 좌우로 흔들었다.

하지만 네림도 동감이었다.

그렇기에 탁류의 원흉에 대해 의문이 떠올랐다.

"결국 그 탁류는 뭐였을까요?"

"자연 현상은 아니겠지. 근처에 비가 내린 곳도 없거니와 범람할 만큼 큰 강도 없어. 틀림없이 마법이다."

"하지만 그만한 규모는……."

"스틸비츠의 마법단이 힘을 합치면 불가능하지는 않다. 하지만 놈들은 전장에 있었다. 잔여 인원이 있을 것 같지도 않아."

부대장급도 명확한 해답을 가진 건 아닌 듯했다.

그건 역시 암리야 왕국의 작전도 아니라는 뜻이다.

"불확정 요소를 방치한 채로 싸우는 건 위험하지 않을까요?"

"그렇지. 하지만 전쟁은 때때로 전장 바깥에서 작용하는 강제력으로 다음 행동이 정해지지. 이 전쟁으로 영지를 많이 잃었어. 강화 조약 교섭을 조금이라도 유리하게 진행하기 위해 멈출 수 없어."

"그럼 전투를 계속합니까?"

"윗선의 명령은 거스를 수 없어. 어쩌면 오늘 움직일지도 모르지."

부대장이 고개를 끄덕였다.

둘 다 질린 듯한 표정이었다.

그리고 네림은 다른 부대에 배속된다는 것과 포지션에 대해 전달받았다.

헤토아가 어떻게 나오느냐에 따라 달라지기 때문에 몇 패턴이나 마련된 정위치를 머리에 집어넣었다.

다시 전황이 움직이기 시작했다.

먼저 움직인 것은 암리야 왕국이었다.

스틸비츠는 방어 태세를 갖추고 있었다.

"……."

네림은 암리야 왕국의 최정예와 나란히 서면서 거북함을 느꼈다.

축축한 땅도 불쾌함을 조장했다.

(다들 걱정해서 말을 걸어줬지만…… 역시 분위기가 살벌해.)

타국의 침공을 막지 못한 점.

상대가 헤토아인 점.

전황이 질질 끌리고 있는 점.

내정에 대한 불만.

다양한 요인이 무겁게 짓눌러서 너 나 할 것 없이 빈말로도 기분이 좋다고는 할 수 없었다.

하지만 전장이 기분을 맞춰줄 리도 없다.

종소리가 울렸다.

"가자, 헤토아는 저기에 있다."

황금색 머리카락이 마중을 나왔다.

네림에게 있어서 헤토아와의 싸움은 한 수 한 수가 새로운 발견으로 이어졌다. 만약 아군이 없었다면 순식간에 매장되었을 것이다.

선명하게 춤추는 황금색 머리카락조차 아름다움에 홀리도록 하기 위한 무기로 느껴졌다.

"젠장……!"

근위 기사단장의 한쪽 팔이 날아갔다.

새로운 인원이 보충되었다.

헤토아와의 싸움은 항상 5대1이 유지되었고, 처음부터 투입되었던 자는 이제는 없다.

네림도 잘해야 십여 분 버틸까 말까일 것이다.

네림은 그녀가 경이로울 지경이었다.

(굉장해, 굉장해!)

그야말로 최강의 인간.

네림은 헤토아의 공격에 실린 힘을 음미했다.

(내 또래라고 들었는데, 굉장해!)

지금까지 겪어본 적 없는 실력 차였다.

숙련된 검술과 검술에 얽매이지 않은 공격이 섞여 있었다.

네림의 검술까지 완벽하게 파악하지는 못했지만, 그건 네림이 독자적으로 완성한 검이라서 그럴 뿐이었다.

헤토아는 정통한 유파의 검술을 승화시키고 있었다.

상대하기에는 숙련도가 너무 달랐다.

(차이가 날 만하지—— 읏!)

네림의 검이 크게 튕겨 날아갔다.

무기를 쥔 손의 힘이 없다. 스태미나가 다했다.

동시에 네림이 빠질 때라고 판단한 실력자가 대신하듯이 들어왔다.

(대단하구나.)

네림은 물러나면서 느긋하게 그런 생각을 하고 있었다.

자잘한 상처를 치료하기 위해 치료사가 나타났다.

검을 회수하고 체력을 회복했다.

이렇게 헤토아 한 명을 상대하기 위해 한 나라의 최고급 전력이 끊임없이 투입되고 있다.

(난 도저히 흉내 낼 수 없어. 아니, 나뿐만이 아냐. 분명 누구도 흉내 낼 수 있는 것이 아니야.)

그런 헤토아라도 전장을 압도하지 못하는 이유는 그저 암리야 왕국의 전력이 많기 때문일 것이다.

이렇게 네림과 헤토아의 첫 해후는 끝났다.

◇

"──강화를 맺는 게 불가능하다고요? 하지만 상황이…….."

네림이 불만스러운 표정을 지었다.

하지만 그렇게 말한 근위 기사단장의 한쪽 팔을 보니 자연스럽게 말이 나오지 않게 되었다.

"무슨 말을 하고 싶은지는 이해해. 이 전쟁은 소모전으로 변했어. 이제는 스틸비츠에 승리하더라도 다시 쳐들어오겠지. 더구나 마족 측에도 수상한 움직임이 있다는 정보도 들어왔고. 내 팔도 이 모양이고."

자조하듯이 웃고 있지만, 주로 쓰는 팔이 잘렸다. 더는 전장에 설 수 없을 것이다.

기사의 긍지가 사라진 것과 마찬가지다.

구원이라면 전장에서 잃었다는 긍지가 있다는 것 정도일까.

"⋯⋯."

앞으로는 부상이 없는 네림이 전장에 서게 되는 횟수도 늘어날 것이다.

그래서 이렇게 전하러 온 기사단장의 괴로운 마음도 짐작할 수 있었다.

"스틸비츠의 전력은 의심할 여지가 없어. 헤토아의 실력은 대륙 제일이고, 병사들도 뛰어나. 이제 왕국의 완전한 승리는 사실상 어렵지."

"이런 상황인데도 물러설 수 없다는 겁니까?"

"암리야 왕국의 패색이 짙어질 수록 상층부는 머리에 피가 거꾸로 솟고 있겠지. 군부나 내정관이나."

"하지만 때로는 타협과 철수도 필요합니다."

"그렇지. 대패했지만, 아직 망하진 않았으니까. 그러나 이대로 고집을 부리면 암리야 왕국은 정말 지도에서 사라질지도 몰라. 상부를 향한 불만도 극에 달한 모양이고."

그 말은 은근히 쿠데타 가능성을 시사하고 있었다.

극히 혼란한 정세에 네림은 한숨을 쉬었다.

(이제 싸우는 건 지쳤어. 다들 같은 생각을 하고 있을 거야. 스

틸비츠 사람들도 그럴 거야. 분명, 헤토아도…….)

물론, 이건 희망적 관측이다.

하지만 확실히 전장에는 피로감이 충만해 있었다.

한참이 지나도 정전과 강화가 찾아오는 일은 없었다.

이렇게 전황은 절정에 접어들게 되었다.

머지않아서 제국이 스틸비츠와 동맹을 맺었다는 사실이 발표됐다.

이런 사태를 막는 것이 내정관의 역할이다.

혹은 동맹국에 원군을 요청하는 것도 가능했을 것이다.

하지만 부당하게 과대한 청구권을 주장했기 때문에 쓸데없이 신용을 잃은 암리야에는 불가능한 일이었다.

이로써 병사의 숫자마저도 상대가 앞서게 되었다.

(욕심을 부린 결과가 이건가.)

네림은 아직 젊지만, 전장을 수없이 돌아다녔다.

그 경험에서 오는 감으로 암리야 왕국이 멸망할 운명이라는 것을 깨달았다.

죽은 아버지와 오빠를 위해, 그리고 지금도 살아있는 어머니와 언니를 위해 싸우고 있었다. 가능하면 존속시키고 싶다.

달관과 비슷한 원통함만이 가슴 속에 있었다.

──종소리가 울렸다.

스틸비츠의 침공이 시작되었다.

제국군에 맞설 병력을 나눈 직후를 노린 공격이었다.

네림 바로 옆의 야영지가 대규모 마법으로 인해 불길에 휩싸였다.

비명이 적은 것은 싸움에 지쳐서 그런 것도 있지만, 닥쳐오는 마법으로 인해 비명을 지를 여지조차 없었기 때문이다.

네림은 응전하기 위해 전선으로 향했다.

여기서 할 수 있는 일은 하나뿐이었다.

(헤토아를 막는다──! 몇 분만이라고 하더라도…… 그것만으로도 수백 명의 병사의 목숨을 구할 수 있어!)

그건 결의였다.

네림이 목숨을 던지는 건 이게 처음이었다.

어떤 전장이든 그 실력이 있으면 도주는 쉬운 일이었기 때문이다.

하지만 헤토아가 상대라면 그렇게는 안 된다.

죽음을 각오하고 있었다.

"──!"

헤토아가 눈앞에 서 있었다.

악마인가 신인가.

네림은 압도되었지만, 후회는 없었다.

"──읏!"

"―――."

두 사람의 검극에는 누구도 다가가지 못했다.

전장에 머물며 네림의 기량은 한층 더 늘었다.

지금까지 동료들에 대한 배려에 쏟았던 만큼의 힘도 거침없이 발휘할 수 있었다.

게다가 네림은 그다지 쓴 적 없었던 마법을 싸움에 섞어서 썼다.

그런 요소들이 맞물려서 이 전장에서 처음으로 헤토아의 옷에 베인 흔적이 남았다.

"――굉장해. 대단한 재능이야."

네림은 그게 헤토아의 목소리였다는 걸 뒤늦게 알았다.

"……."

솔직하게 기뻤다.

하지만 정작 네림은 헤토아보다 피폐한 상황이었다.

칭찬이지만 굴욕이기도 한 것이다.

"난 헤토아 스틸비츠. 이 전장에 이름을 새기도록 하지. 네 이름은?"

헤토아가 이름을 물었다.

이 전장에 이름을 남길 기회.

대답하지 않을 이유가 없다.

"네림."

네림은 겨우 며칠 만에 헤토아에게 존경심을 품었다.

이제 죽어도 여한이 없었다.

"싸울 수 있어서 영광이었다, 네림."

황금색 머리카락이 휘날렸다.

헤토아가 검을 들어 올렸다.

단 한 번 휘두를 뿐이건만, 신기하게도 네림에게는 수많은 잔상이 보였다.

"다음 생이 있다면—— 너와 함께 싸우고 싶어, 헤토아."

그것이 유언이라는 것은 누가 들어도 명백했다.

네림이야말로 영광이었다.

마지막 상대가 헤토아라는 사실은 명예가 될 것이다.

——안녕.

고별의 말을 가슴에 품었다.

하지만 포기한 것은 아니다.

마지막 한순간까지 눈을 감지 않는다.

검을 쥐었다.

도저히 막을 수 없는 일격을 받아치기 위해.

——선명한 소리.

그건 스틸비츠에 전해지는 악기 소리였다.

네림이 몇 번이고 들었던 신호다.

헤토아의 일격이 멋었다.

"아무래도 끝인 것 같네, 네림."

헤토아가 즐거운 듯이 웃고 주위를 경계하면서 떠나갔다.

"스틸비츠가 철수……? 어째서?"

환청인가?

사라져 가는 헤토아의 모습을 봐도 여전히 믿기지 않았다.

네림은 쥔 검을 넣을 수 없었다.

◇

제국이 멸망했다.

스틸비츠와 헤토아가 물러나고 얼마 지나 그런 소식이 전해졌다.

하지만 제국이 멸망했다고 해도 스틸비츠가 철수할 요인이 될 수는 없다. 원군이 없어도 그들이 유리한 상황이었다.

그런데도 철수한 이유는 인간끼리 싸울 상황이 아니었기 때문이었다.

이유는 마왕의 탄생이었다.

(그 탁류의 원흉은 마족이었나.)

제국이 하룻밤 사이에 멸망한 원인도 같은 마법 때문이었다.

암리야 왕국과 스틸비츠 왕국의 전선에서 사용된 건 실전 투입 전의 실험이었을 것이다.

그것이 인간의 결론이었다.

어쨌든.

얼마 후에 여신 아스테라의 신탁을 받아 용사가 정해졌다.

(용사 헤토아…… 내가 보기엔 필연이다.)

전장에서는 비할 데 없는 활약을 보여줬다.

궁지에 빠져도 사람을 구해냈다.

적에게도 경의를 표했다.

네림은 이의가 없었다.

하지만, 딱 하나.

용사 헤토아가 지명한 파티의 멤버였다.

"……──왜 날 검성으로 지명했을까."

검성 네림.

이후 몇 대에 걸쳐 사상 최고라고 칭송받는 검성의 탄생이었다.

마왕의 탄생으로 세계는 일변했다.

서로 으르렁거리던 인간들은 협력 체제에 들어갔다.

그들은 꼭 옛날부터 사이가 좋았던 것처럼 행동했다.

그 이유는 전부 '아스테라'의 이름 아래에 국가와 각 조직이 반강제적으로 통일되기 때문이었다.

마족은 마왕의 이름으로 모든 것이 결정된다.

이렇게 인간 대 마족의 구도가 완성되었다.

대륙에 오래도록 이어져 내려온 흐름이었다.

이 세대의 수인과 엘프 등 다른 종족은 방관하기만 했다.

(……이곳이 구 제국령?)

여러 왕국을 지배하며 구가했을 터인 화려한 도읍.

그런 도읍지가 지금은 검은 연기를 내뿜고 있었다.

거대한 성은 마족에게 처참히 파괴되었다.

"처참하네."

옆에서 용사 헤토아가 말했다.

"말이 너무 심해. 비록 하루 만에 몰락했더라도, 필사적으로 싸운 자들의 영혼이 잠들어있어."

뒤에서 하얀 수염을 기른 노령의 남자가 말했다.

한 손에는 뒤틀린 형태의 지팡이를 쥐고 있었다.

얼핏 보면 숲에서 아무 거목의 가지를 주워온 것처럼 보였다.

하지만 잘 보면 알 수 있다.

그것이 쥐기 쉬운 형태를 가지고 있고, 곳곳에 비싼 매직 아이템이 장식된 물건이라는 것을.

잘 아는 자라면, 그것이 마력이 쉽게 전도되게 하여 마법의 정밀도와 위력을 올리고 있다는 것을 알아차릴 수 있다.

그리고 주인이 이 지팡이를 쓰기에 걸맞은 강자라는 것도.

"우후후. 헤토아는 그것까지 의식해서 말한 게 아닐 거예요. 용서해주세요."

수녀 복장을 하고 있긴 하지만, 옷 위로도 라인이 보일 만큼 매혹적인 여성.

감도는 색기와 어울리지 않게, 아스테라교의 사제임을 나타내는 배지가 가슴에 달려있었다.

여신 아스테라를 본뜬 검소한 목제 배지인데, 아스테라교에 최고위 치료사로 인정받았다는 증표였다.

몇 세대 후에 끊어지는 아스테라교의 풍습이었다.

"으~, 성녀. 그거 바보 취급하는 거지~."

"글쎄. 어떠려나."

세 사람은 상당히 긴장감 없는 분위기를 내고 있었다.

뒤로는 인간의 대군.

맞은편에는 마족의 대군.

지금부터 총원 30만이 넘는 인원이 대전을 펼치는데도 여기만 술집 같은 분위기였다.

(하지만 이건 여유를 부리는 것도 방심하는 것도 아니야. 농담하면서 서로의 컨디션을 확인하고 있어.)

물론 네림이 지나치게 깊이 생각한 것일지도 모른다.

하지만 세 사람의 상태가 평소와 같다는 것에 안도감을 느낀 것은 확실했다. 그것도 하나의 목적일지도 모른다며, 네림은 덧붙였다.

이 전장에서 용사 파티는 첫 출전을 승리로 장식했다.

현자 올리고레우스는 특기인 대규모 마법으로 3만의 마족을 물리쳤다.

성녀 릴리레나 릴리트는 생존자를 크게 늘렸다.

검성 네림은 7대 마귀족 세 명을 토벌했다.

용사 헤토아는 마족군 2만과 7대 마귀족 한 명을 토벌했다.

큰 전과이자 가공할 만한 대승이었다.

(이렇게 잘 풀릴 일인가?)
네림은 생각했다.

하지만 그것이 기우라는 것을 1년도 안 되어 이해했다.

——마왕의 턱밑까지 다가간 것이다.

현자도 성녀도 우수했다.

그 실력은 역대에서도 손꼽힐 것이다.

게다가 용사 헤토아와 검성 네림의 존재가 있다.

'역대 최강의 용사 · 검성은 누구인가——.'

그런 논의가 생길 때마다 이름이 거론될 정도의 인물이 동시대에 둘이나 있었다. 마족과 싸우는 의미를 생각할 만큼 쾌승을 거두는 것은 필연이었다.

마왕성.

용사 파티는 그곳까지 다가가 있었다.

다만 군세는 없다. 오로지 네 명뿐이었다.

이유는 위험한 마물 때문이었다.

일반병들은 도저히 상대할 수 없고, 어차피 이미 마족 군세는 크게 줄어있었다. 용사 파티가 단독행동을 하는 편이 좋아 보였다.

그 마물들은 인간이 마족의 영지를 완전히 지배하에 두지 못하는 이유이기도 했다.

몇 번이나 마족이 쳐들어와도 물리칠 수 있지만, 정복할 힘은 없는 것이다.

물론 마왕과 영토 쟁탈전을 해온 것은 사실이며, 각 종족에 의해 대륙의 지도가 몇 번인가 바뀌긴 했지만.

그러나 사실 인간의 영지에서도 용이 사는 곳이나 위험도가 높은 숲에는 발을 들여놓지 못했다.

하지만 그건 반대의 경우도 마찬가지다――.

이 대륙에서 각 종족의 생존권은 그만큼 확고한 지반 위에 구축되어 있었다.

"왜 그래, 헤토아."

마왕성을 앞에 두고 헤토아의 상태가 이상한 것을 네림이 깨달았다.

아니, 더 이전부터 이상했다.

말수는 적어졌고, 눈을 마주치는 일조차 없었다.

전투 수준은 높아서 문제없이 쳐들어갔지만, 결국엔 네림의 걱정도 한계에 다다랐다.

"아…… 아무것도 아냐."

말투도 태도도 수상하다.

"어머, 오늘은 그만할까요?"

"됐어!――…… 아니, 괜찮아. 가자."

헤토아가 언성을 높였다.

화내는 목소리로도 들려 네림이 놀란 모습을 보이자, 헤토아는 냉정하고 담담하게 대답했다.

현자가 수염을 쓰다듬으면서 말했다.

"아니, 그만하지. 뭔가 고민하는 게 있겠지. 하루쯤 늦어도 문제없다. 어차피 마족은 아무것도 할 수 없으니까."

현자의 말은 정답이었다.

마족군은 이미 결정타를 몇 번이나 맞아 와해하지 않는 게 이상할 정도의 상태이며, 마왕도 전장에서 몇 번인가 칼을 맞대어 힘을 깎아냈기 때문에 만전의 상태와는 거리가 멀 것이다.

그에 비해 용사 파티에겐 여력이 있다.

"……그렇, 지."

이렇게 최후의 결전은 하루 미뤄지게 되었다.

◇

네림과 헤토아가 모닥불을 둘러싸고 있었다.

현자도 성녀도 의도적으로 이 자리에서 떴다. 둘 다 용사와 친했지만, 네림 정도로 친하지 않다는 것을 알고 있었다.

네림은 헤토아에게 여러 번 가르침을 구했고, 헤토아는 네림의 재능을 인정하고 있었다.

강했기에 전장에서 서로의 목숨을 구할 일은 없었지만, 진심으로 서로를 이해할 수 있는 사람은 두 사람뿐일 것이다.

현자도 성녀도 그렇게 생각하고 있었다.

"왜 그래, 헤토아."

"사실은……."

헤토아가 말하려다가 멈췄다.

하지만 네림은 말을 재촉하지 않았다.

자기 페이스대로 말하도록 하는 것이 중요하다고 생각했기 때문이다.

잠시 후, 헤토아에게 웃음이 돌아왔다.

"아하하. 실은 그날이라서."

"……정말?"

네림이 고개를 갸웃했다.

애초에 헤토아가 몸이 무겁다고 약한 소리를 한 적은 한 번도 없었다.

하지만,

"내일은 나을…… 거니까."

헤토아가 그렇게 말하는 이상, 네림도 고개를 끄덕이는 수밖에 없었다.

다음 날.

헤토아의 상태는 여전했다.

"용사는 무슨 말을 했는가?"

현자의 물음에 네림이 답했다.

"복통이었대요. 오늘은 상태가 좋아질 거라고 말했는데……."

"흠. 그런 것 치고는 길군. 마족령에 들어온 뒤부터 계속 저렇지 않았나."

현자는 이해가 안 되는 눈치다.

네림도 동감이었다.

헤토아의 부자연스러운 모습에 의심을 지울 수 없었다.

하지만 성녀는 다 안다는 얼굴로 말했다.

"헤토아가 짊어지고 있는 업은 무거워. 우리와는 비교가 안 될 정도로 마족도 인간족도 수없이 구별 없이 죽여왔으니까. 이 결전이 끝나면 편하게 지내게 해주죠."

그렇게 생각하는 것은 자연스럽다.

헤토아뿐만 아니라 성녀도 현자도, 그리고 네림도 심하게 지쳐 있었다.

인간의 마음을 잃지 않도록 하기 위해서는 죽였을 때의 감각이 마비되지 않도록 하는 수밖에 없다.

왼쪽 가슴이 꽉 죄는 것을 느끼면서 견디는 수밖에 없다.

하지만.

그것이 미적지근한 착각이라는 것을 알게 된 것은 네림 혼자뿐이었다.

◇

"뭐야, 이게! 마왕은 죽은 것 아냐?!"

"이건 마법인가……? 난 모른다…… 이……런…….."

"현자님……! ……아……아."

현자도 성녀도 숨이 끊어졌다.

몸은 검게 썩어 문드러져 숯처럼 변해 붕괴한 마왕성의 틈새로 불어오는 바람에 어딘가로 날아갔다.

◇

네림도 몸이 검게 물들어 있었다.

감각이 옅어져 간다.

현자와 성녀처럼 자신도 죽을 것이라는 걸 이해했다.

그래도 냉정해져서—— 헤토아만이 무사하다는 것을 알아차렸다.

(처음엔…… 헤토아가 아무렇지도 않아서 안도했어…….)

하지만.

헤토아가 당황하지 않고, 아무것도 하지 않고.

죽은 듯한 눈으로 모두를 보고 있다는 것도 알아차리고 말았다.

"있잖아, 헤토아. 어째서……?"

그저 의문이 들었다.

이유를 몰랐다.

네림의 질문에 헤토아가 딱 한순간 눈빛을 되찾았다.

"나도 이런 짓은 하고 싶지 않았어."

그 말은 헤토아가 마법으로 죽였다는 것을 은근히 시사하고 있었다.

네림도 의심이 확신으로 바뀌었다.

더더욱 괴로워졌다.

"그럼, 어째서……."

"……아스테라."

불쑥 중얼거리고, 그 이상은 말하지 않았다.

네림에게서 시선을 돌리고 마왕성을 뒤로했다.

뒤돌아보는 일은 없었다.

원래 네림은 검술만을 연마하고 있었다.

운동신경이 뛰어나서 마법을 배울 이유가 없었다.

하지만 인생을 살아가면서 사람을 존경한다는 감정을 알게 되었다.

헤토아 스틸비츠.

나이가 같은 소녀라는 걸 알고 놀랐다.

자기보다 강하고 고결하고 상냥한 용자에게 동경마저 품었다.

그녀는 검술이 대단하다.

하지만 우쭐거리지 않았고 마법도 대단했다.

그래서 네림도.

——마법을 배웠다.

네림이 '아스테라의 추종자'에 의해 만들어진 최강의 마법을 피할 수 있었던 건, 그게 연명에 불과했다고 하더라도 기적이라 할수 있을 것이다.

설령 스스로가 검이 되는 저주가 죽음을 피하는 대가로 필요했다고 하더라도.
결코 자신이 풀 수 없는 마법이었다고 하더라도.

'……아스테라.'

네림은 원흉을 알았다.
수백 년 동안 변함없이 언제나 해와 달로 세계를 기억에 새긴다.
뇌리 한구석에 있는 정보를 의지하여 점과 점을 선으로 잇는다.
온갖 가능성을 고려한 패턴을 만든다.
때로는 의심암귀가 되고, 때로는 사람을 과하게 믿고.
단 하나의 답이라 믿는 것에 몇 번이고 몇 번이고 다다르고.

그러는 사이에 어느샌가 '금기의 숲속'에 흘러들어왔다.

◇

아침 해가 쿠에나의 집을 비췄다.

치카치카 하는 소리가 났다.

세면대에서 지드와 쿠에나가 이를 닦는 소리였다.

무심한 아침의 일상이 있었다.

"아침밥, 뭐 먹을까."

"고기."

"아침부터? 난 빵이랑 수프로 할래."

"아, 내 것도 부탁할게."

"그럼 대신 샐러드를 만들어줄래?"

"알았어."

각자 분담할 내용이 정해졌다.

평소 같으면 실라가 혼자 솔선해서 하지만, 이 둘도 의외로 호흡이 잘 맞는 연계를 보여줬다.

부족함은 느껴지지만, 두 사람은 이건 이거대로 나쁘지 않다고 느끼고 있었다.

""우물우물.""

둘의 식사는 조용했다.

하지만 어색함은 없다.

차분함과 편안함이 있다.

그건 전장에 익숙한 두 사람이 경계심을 드러내지 않고 있을 수 있는 장소라는 공통 인식이 성립하고 있기 때문이다.

완전한 신뢰 관계가 구축되어 있다는 증거이기도 했다.

"그러고 보니, 또 아스테라 교회가 습격당한 것 같아."

"또? 뒤숭숭하네. 유세프 때처럼 마족이 날뛰고 있는 건가?"

"범인은 여전히 모르는 것 같아. 그 이후로 그다지 뉴스도 나지 않았고."

"뉴스가 안 났어? 제법 큰 사건이라고 생각하는데. 불안을 부추기지 않으려고 일부러 덮은 건가?"

"나는 오히려 적극적으로 알려서 위험을 피하도록 해야 한다고 생각하는데 말이야. 아마 그들도 정체를 모르는 게 아닐까? 밤중에 습격하는 경우가 많은 것 같으니, 이렇다 할 정보가 없는 거지."

"그렇구나……."

두 사람의 접시가 비었다.

싱크대까지 가져가 씻는 것은 쿠에나, 닦는 것은 지드의 몫이었다. 실제로 둘이서 가사를 하는 것은 처음이었지만, 노숙을 거듭하는 사이에 자신이 해야 할 일을 이해하고 있었다.

"그보다── 실라 건은 어떻게 됐어?"

어젯밤에 둘이서 이야기했다.

바로 행동하고 싶지만, 전투만으로도 상대가 상당한 숙련자라는 걸 알고 말았다.

마구잡이로 찾아도 아마 의미가 없다는 것을 깨달은 것이다.

그 결과, 가장 정보를 많이 가지고 있을 것 같은 인물에게 말을 하기로 한 것이다.

"아아, 마침 리프한테서 연락이 왔어. 한 시간 뒤에 길드로 집합이야."

지드가 길드 카드를 꺼내서 쿠에나에게 보여줬다.

"그래. 바쁜 것 같더니, 드디어 만날 수 있네."

그 말에는 빈정거림이 섞여 있었다.

수인족령으로 여행을 떠나기 전, 실라를 끌고 간 건 리프였다.

게다가 리프는 수상한 의식을 한다고 말했었다.

이 상황을 가장 잘 아는 게 그녀인 건 말할 필요도 없었다.

◇

길드 마스터의 방문을 두 번 두드렸다.

안에서 입실 허가를 고하는 목소리가 들렸고, 나와 쿠에나는 발을 들였다.

"잘 왔네."

리프가 싱긋 웃음을 띠면서 우리를 환영했다. 하지만 그 웃음이 지어낸 표정인 건 금방 알 수 있었다.

"고마워, 만나줘서. 바쁘지?"

"아니, 어차피 곧 그대들을 부를 생각이었네."

"실라 관련인가?"

"물론."

웃음이 심각한 얼굴로 싹 변했다.

진지한 이야기로 넘어가는 순간인 것을 이해했다.

갑자기 리프가 머리를 숙였다.

"미안하네. 실라의 몸을 빼앗기고 말았네."

"그건 이미 알고 있어. 어제 만났거든."

"뭣?! 만났다고?! 놈은 어떻게 됐나! 뭐라고 말했지?!"

리프가 머리를 확 들고 무시무시한 얼굴로 물었다.

"딱히, 아무 말도. 캐묻기도 전에 사라졌어."

"으음, 그런가……."

"이봐, 안에 있는 건 대체 누구야? 실라는 어디로 갔고?"

"그래, 그대들에겐 그 설명부터 해야겠지."

리프가 한 박자 쉬고 이야기하기 시작했다.

"그녀를 조종하는 건 사검일세. 그리고 사검의 정체는 네림이라는 자이지."

"네림……?"

쿠에나가 눈살을 찌푸렸다.

"아는 이름이야?"

"어제 말했잖아. 떠오르는 사람들이 있다고. 그중 하나가 네림이야. 사상 최고의 검성이라 불렸던 사람이지."

"사상 최고의 검성? 근데 그 사람들은 이미 다……."

"그래, 죽었지. 그러니 그 사람은 동명이인이겠지?"

쿠에나가 리프를 바라보며 말했다. 마치 동의를 구하는 듯이.

하지만 리프는 고개를 저었다.

"아니, 본인일세. 바로 그 역대 최고의 검성인 '신역'의 네림이야."

"뭐? 아니, 죽었다면서……?"

"음. 물론 역사는 그렇게 되어있지. 모든 역사가 그렇게 말할 걸세. 하지만 그녀는 분명히 살아있다네."

리프의 말이 자못 기쁜 듯이 들렸다.

"그럼 애초에 사검이 아니었다고?"

"그저 자기 모습을 검으로 바꾸었을 뿐이네."

쿠에나가 머리를 싸맸다.

터무니없는 정보들이 튀어나와 혼란스러운 것 같았다.

"그 녀석이 왜 실라의 몸을 빼앗는 건데?"

"그건 모르겠네. 가능한 한 우호적으로 대하려고 했는데, 이야기조차 할 수 없을 정도로 경계심을 품고 있었네. 그, 자신을 검의 모습으로 바꾸는 마법은 자력으로 원상복구할 수 없기에, 이 몸이 사검의 몸을 복구하였는데, 그것이…… 그대로 실라를 끌고 갔네."

"우리는 리프를 믿고 맡긴 거였는데."

"변명은 하지 않겠네. 이 몸의 실수야. 정말 미안하네."

이 대화를 듣고 나는 약간 안심했다.

리프가 거짓말을 하는 것처럼 보이진 않았기 때문이다.

최악의 가능성은 리프가 실라를 함정에 빠뜨리는 것이었다. 만약 그런 상황이라면 우리도 대처하기 어려워진다.

물론 리프가 그런 짓을 할 것 같지는 않다. 그러나 조금이라도 의심이 든 자신에게 구역질이 났다.

"뭐, 됐어. 지금은 실라를 되찾는 것이 중요해. 리프는 아는 거 없어? 그 네림인가 뭔가 하는 자가 갈 법한 곳이라든가."

"실은 아스테라 관련 시설이 연속으로 습격당하는 사건이 발생하고 있네."

그녀가 어느 정도 조사한 모양인데, 우리에게는 의외의 정보였다.

"그건 알고 있는데…… 농담이지?"

두 사건이 하나로 이어졌다.

크제라의 교회 신부가 머뭇거린 이유는 이거였나. 그는 우리와 실라가 동료라는 걸 알고 있으니까.

생각해보면 성검도 아스테라와 관련이 있다.

그렇다면 우리를 습격한 것도 설명이 된다.

"하지만 왜 그런 짓을 하는 거지? 검성이라면 용사 파티인 거잖아? 그럼 아스테라교와 사이가 좋았을 텐데?"

"그 녀석의 목적은 불명일세. 하지만 진·아스테라교에 적의가 있는 건 확실하네."

"이름이 바뀌어서 믿지 못한다거나……?"

"그 정도라면 대화의 여지는 충분히 있지 않았겠나."

"……그 애는 대체 운이 얼마나 없는 거야. 아니, 애초에 사검 같은 걸 받아들 시점에서 바보였어."

글쎄, 그건 어떨까. 실라도 부주의한 행동이라는 자각은 있었을 것이다. 그래도 받아들인 것은 위험하지 않다고 생각했기 때문일 것이다.

실제로 나도 같은 생각이었다.

그 생각이 이 사태를 불러오고 말았지만.

"그래서 말이네, 그대들에게 부탁하고 싶은 일이 있네. S랭크 극비 의뢰라네."

"무슨 일인데?"

"되도록 다치지 않게 실라와 네림을 포박해주게. 그것도 누구에게도 들키지 않도록 은밀하게. 이 이상 피해가 늘어나는 걸 막아야 하네."

"그건 당연하지. 난 처음부터 그럴 생각이었어."

리프에게 온 것도 실라에 대한 자세한 정보를 캐묻기 위해서였다. 의뢰가 아니더라도 그렇게 할 생각이었다.

"음. 이 몸이 말하는 건 실라만이 아니라 네림도 그렇게 해달라는 뜻일세. 원만하고 신속하게 말일세."

그녀는 의연하게 말했지만, 말에는 미안함이 담겨있었다.

자기 실수를 반성하고 있을 것이다.

쿠에나가 몸을 내밀며 캐물었다.

"그걸 의뢰하려면 이유도 가르쳐줘야지. 왜 네림한테 집착하는 건데?"

"……그건 알아서 어쩌려는 건가?"

"오히려 왜 그걸 감추는 건데?"

쿠에나는 상당히 짜증이 난 눈치였다.

이렇게 감정적인 상태가 된 건 실라를 위험에 처하게 했기 때문일 것이다.

물론 실라가 경솔했던 게 가장 큰 이유지만, 이 사태를 초래한 건 리프의 책임도 있다.

이유를 밝히지 않고 데려오라고 해도 수상할 뿐이다.

"알겠네. 오직 그대들에게만 이유를 알려주겠네. 단, 네림을 데려온 후에 알려줄 걸세."

"……제대로 된 설명도 없이 의뢰를 수행하라고?"

"정 이 몸을 못 믿겠다면 그리 말하게. 이 팔이라도 내주지."

리프가 한쪽 팔을 내밀었다.

농담 같아 보이지는 않았다.

쿠에나는 결국 한발 물러섰다.

"쯧…… 알았어."

이러면 더 따지기는 어렵겠지.

"그럼 설명은 나중에 듣기로 하고. 리프, 이 의뢰를 위해서 나에게 마법을 하나 가르쳐줬으면 하는데."

"마법이라니?"

"급한 상황이니까, 한 번만 보여주기만 하면 돼. '대체 마법'이
어떤 건지 알고 싶어."

네림이 실라에게 썼다는 의혹이 있는 마법이다.

리프의 실력이라면 이 마법을 부릴 수 있을지도 모른다.

리프 역시 그다지 고민하는 얼굴은 아니었다.

"지드라면 한 번 보기만 해도 익히겠지만…… 그 마법은 왜 알
고 싶은 겐가?"

"아무리 다른 사람이 들어가 있다고 해도 실라의 몸을 상대로
싸우는 건 어려워. 난 아는 얼굴이랑은 별로 싸우고 싶지 않아."

"크크. 직접 바꿔놓겠다는 거군. 그래 알겠다. 쿠에나, 이리로
가까이에 오게."

"왜 나야……."

쿠에나가 노골적으로 싫은 표정을 지었다. 하지만 이러는 동안
에도 네림은 계속 날뛸 것이다. 쿠에나는 결국 싫은 표정 그대로
리프 옆에 나란히 섰다.

곧 리프의 마력이 준동했다.

"잘 봐두게———— 어라?"

"어떤가. 알겠는가?"

리프가 갑자기 얼빠진 얼굴을 했다.

깜짝 놀라 주위를 둘러보고 있었다.

반대로 싫다는 얼굴을 하고 있던 쿠에나는 시원스러운 얼굴을 하고 있었다.

두 사람이 무사히 바뀐 모양이었다.

흠, 이런 식으로 하는 거군.

"고마워. 잘 알았어."

"그럼 연습해보겠나? 이번엔 이 몸과 지드가 바꿔볼까."

쿠에나 몸에 있는 리프가 손을 내밀었다.

"자, 잠깐만! 뒤죽박죽이 되니까 싫어!"

리프 몸에 있는 쿠에나가 황급히 거부했다.

"확실히 쿠에나의 말대로야. 여기서 더 하면 엉망진창이 될 것 같으니까, 섞는 건 그만하자."

"크크, 그도 그렇군."

진심으로 즐거운 듯이 웃었다.

장난스러운 쿠에나의 얼굴에 평소와는 다른 갭이 엿보여 살짝 귀여웠다.

"대신 연습은 이걸로 하면 되겠지."

내 마력이 두 사람을 감쌌다.

"…………어라? 돌아왔어?"

"그런 것 같구먼. 역시 대단하다고 해야 하나. 보통이라면 수십 년의 마법 지식과 경험을 쌓고, 거기에 더해 수년의 수행 끝에 습득하는 마법일 텐데…… 크크, 웃음이 나오는군."

그렇게 계산하면 리프는 대체 어느 정도의 세월을 쓴 걸까. 겉

모습은 어린 여자아이처럼 보이는데. 재능으로 모든 걸 극복했을지도 모르지만.

어쨌든, 이걸로 마법은 익혔다.

"고마워. 잘하면 응용도 할 수 있을 것 같아."

"믿음직하구먼."

"무슨 일이 일어나는지 거의 알 수 없었어⋯⋯. 난 조금 무서워졌어⋯⋯."

쿠에나가 몸을 떨듯이 양팔을 끌어안았다.

자신의 몸이 한순간이라도 빼앗긴 것에 공포를 느낀 걸까.

그렇다면 실라는 어떤 심정일까.

그때 리프가 나에게 무언가를 건넸다.

"지드여. 이걸 가져가게나."

"이게 뭔데?"

정교하게 세공된 도구였다. '라운드 브릴리언트 컷'이라는 화려한 명칭의 세공법이었던 것 같다. 보석을 연마할 때 쓰는 방식인데, 마력이 느껴지는 걸 보아하니 보석이 아니라 매직 아이템인 듯했다.

매직 아이템은 황금색으로 반짝이고 있었다.

대충 봐도 상당한 시간을 들여서 만든 정교한 아이템이라는 걸 알 수 있었다.

"별 대수롭지 않은 특별 주문품이네. 무슨 일이 있어도 몸에 항상 지니고 있게. 만약 실라에게 위험이 닥치면 곁에 있는 것만으로도 도움을 줄 걸세.”

“이것도 사정을 설명할 수 없는 거야?”

내 질문에 리프가 어깨를 으쓱였다.

이제 말도 필요 없다는 것이다.

◇

길드 마스터실에서 밖으로 나왔다.

“지금부터는 따로 행동할까.”

쿠에나가 제안했다.

“응, 그럴까?”

“분담하는 편이 찾을 수 있는 범위도 넓어지잖아? 리프한테서 수시로 정보가 오니까, 난 다른 방법으로 쫓아볼게.”

“그렇네. 난 수소문해서 실라를 찾아볼게.”

“난 우선 정보상부터 탐색해볼게. 아무리 은밀하게 행동해도 거점이 있을 테니까, 발자취가 전혀 없지는 않을 거야.”

“그래.”

갑자기 쿠에나가 웃음을 지었다.

그리고 내 눈을 바라보면서 한마디.

“뭐야, 내가 혼자 행동하면 불안해?”

“그런 건 아닌데…….”

불안해하는 표정을 지어버린 걸까.

"괜찮아. 난 지지 않아. 사상 최고의 검성이라 해도, 계속 사검의 모습으로 지냈으니 공백이 있을 거야. 지금이라면 아직 실라몸에 익숙해지지 않았을 테고."

그리고, 라면서 자신만만하게 계속 말했다.

"네가 있어서 존재감이 희미해졌지만, 난 다음 S랭크 최유력 후보였거든."

"그건 그렇지."

나도 모르게 웃음이 흘러나왔다.

그게 부자연스럽게 보였는지 쿠에나가 수상하다는 듯이 얼굴을 들여다봤다.

"뭐야?"

"아니, 쿠에나랑 처음 만났을 때를 떠올려서. 기억나? '내가 S랭크가 된다'라면서 달려들었지."

"……!"

쿠에나가 내 등을 퍽퍽 때리면서 빨개진 얼굴을 가렸다. 상당히 적극적이고 과격한 행동이었다는 것을 떠올리고 있을 것이다.

"그건 젊음의 소치라는 거야. 잊어……!"

"그만큼 오래 지난 일은 아닌데."

"그래도 잊어~!"

실패한 일을 덮으려는 듯이 쿠에나는 억지로 이야기를 흘리려고 했다.

◇

쿠에나는 정보상에게 이야기를 들으러 갔다. 분명 그녀라면 실라의 행방을 파악해줄 것이다.

문제는 내 쪽이다.

나는 새삼스럽게 생각에 빠져있었다.

(탐문을 하겠다고 말했는데…… 미움받는 마당에 사람들이 과연 대답해줄까……?)

그야 몇 사람에게나 물어보면 한 명은 대답해줄 것이다.

하지만 전에는 꼬치 가게 주인에게 말을 걸기만 해도 다른 가게 녀석이 '이 자식이랑은 얘기하지 않는 편이 좋다'는 말을 했을 정도이니…….

그 말을 듣고 멘탈에 큰 상처를 입었었다.

(하지만 이러는 동안에도 실라는 위험에 처해있을지 몰라…….)

그런 걸 생각하면 내 멘탈 따위는 중요한 게 아니다.

나는 일단 대답해줄 것 같은 남자를 찾아 나섰다.

뒷골목.

여기에 그가 온다는 정보는 이미 알고 있었다.

그보다 전에 여기서 고기를 넣고 꺼내는 모습을 봤다.

"우웃! 깜짝 놀랐네……."

꼬치 가게 주인은 내 모습을 보자 뒷걸음질하며 가슴을 쓸어내렸다.

운동신경이 상당히 좋다.

체격도 좋으니 원래는 다른 직업이 있었을지도 모르겠다.

"미안. 사람 눈에 띄는 곳에서 말을 걸면 폐가 될 것 같아서."

"놀라게 하는 게 더 싫다만……."

"아, 음. 미안."

두 번 사과했다.

화는 안 내는 것 같지만 불쾌하게 만들긴 했겠지.

"뭐 됐어. 그래서 몇 개 줄까?"

내가 그를 찾는 일은 하나밖에 없었으니, 당연한 반응이었다.

살 예정은 없었지만, 쿠에나와 아침을 먹은 뒤로 한참이 지났다. 배도 적당히 고파지기 시작했으니 싸우기 전에 배를 채워두자.

"그럼 우선 다섯 개만."

"예이, 감사합니다. 잠깐 기다려."

그는 뒷골목에 있는 고기를 '웃차' 하는 소리를 내며 가져가더니, 얼마 지나지 않아 구워진 꼬치를 가져왔다.

"와 빠르네. 제대로 구운 거 맞아?"

"재료가 다 떨어질 때까지 기다리는 주인이 어디 있냐. 아까 굽던 녀석이다."

"흠. 확실히 평소대로 맛있어."

친숙한 맛이다.

실라가 만드는 밥을 제외하면 이게 나의 어머니의 맛이라는 거겠지.

"애초에 덜 익은 걸 먹은 정도로 S랭크가 배탈이 나냐?"

"그건 독을 부어도 어려울걸."

"다음에 시험해볼까……."

"이봐."

"으하하, 농담이야."

호쾌하게 웃으면서 가게 주인이 가게로 돌아가려고 했다.

"잠깐만, 물어보고 싶은 게 있어."

"엉?"

별일이네, 라며 표정으로 말했다.

"실은 실라를 찾고 있어. 행방불명이거든. 뭐 아는 거 없어?"

"금발 아가씨 말인가? 그러고 보니 뭔가 소문을 들은 것 같은데……."

"정말이야?"

"음, 근데 그게 누가 한 이야기였는지……. 으음~."

"뭐든 상관없어. 대략적인 장소라도."

주인이 팔짱을 끼고 골똘히 생각했다.

어디선가 아는 사람을 봤다는 정도의 대화였을 것이다.

하지만 난 그런 정보 말고는 의지할 수 있는 게 없다.

"아, 신성공화국과 맞닿은 국경 근처였어."

딱 하고 손뼉을 쳤다.

"국경 근처? 그 말은 크제라 안에 있었다는 건가?"

"그때는 말이지. 가까이에 마을이 있는데, 거기서 고기를 거래하고 있어."

넌지시 이미 다른 장소에 있을 거라고 말하고 있다.

실제로 내 탐지 마법으로는 크제라 왕국 안에서 실라를 찾지 못했다. 아마 나를 습격하기 전의 일일 것이다.

네림은 제법 여러 곳을 오가는 것 같으니 이 정보를 좇아도 의미가 없을지도 모른다.

그렇게 생각하고 있으니.

"아무래도 금발 아가씨가 그 마을 근처에 거점을 설치한 것 같더군. 마물도 별로 없는데 A랭크 정도의 모험가가 뭘 하는 건가 하고 얘기했지."

거점!

그렇게 되면 이야기가 달라진다.

날 습격한 뒤에 거기로 돌아갔을 가능성이 있다.

"그 마을이 어디야?"

"어어, 잠깐 기다려라."

그렇게 말하고 주인이 지도를 가져왔다.

크제라 왕도에서 마을까지 그려진 간단한 지도지만, 마차로 가는 루트 등이 그려져 있어서 알기 쉽다.

"과연. 여긴가."

"그래. 조합 놈들의 물건을 도매로 받아오는 단골이 있거든."

"의외로 발이 넓네."

"크제라 상업 조합의 간부라고? 이래 봬도."

의기양양한 얼굴이다.

상업 조합이라고 하면 국가와도 직접 담판할 수 있는 수준의 조직이었던 것 같은데.

기사단에 소속되어 있었을 때, 상층부가 자주 조합의 이야기를 꺼낸 기억이 있다.

대부분은 불평이었지만…….

"그랬구나. 그냥 꼬치 잘하는 아저씨인 줄 알았는데."

"기쁜 것 같기도 하고 너무한 것 같기도 하고. 뭐, 어쨌든 이 마을 녀석에게 내 소개로 왔다고 하면 잘해줄 거라고. 네 이야기는 몇 번인가 해뒀으니까 싫어하는 녀석도 그리 없을 테고."

"그래, 고마워. 도움이 됐어."

"됐어. 넌 아들을 구해줬으니 말이야."

그래도 말이야, 라며 가게 주인이 이어서 말했다.

"근데 그 아가씨는 왜 그런 곳에 있는 거야? 자네, 설마 스토킹 중인 건 아니겠지?"

표정을 보니 이건 진짜 의심하는 거다.

"이 일에 대해서는 말할 수 없어."

리프의 의뢰는 극비다. 찾는 이유도 말할 수는 없다.

"흠~. 뭐, 너한테 그 예쁜 아가씨를 스토킹하는 뒤틀린 사랑과 행동력이 있었다면 더 나쁜 소문이 퍼졌겠지."

"으엑, 지금보다 더?"

용사를 거절하는 것 이상이라니……

그건 그냥 넘어갈 수 있는 일이 아니다.

거리를 걸으면 사람들이 쓰레기를 던질 것이다. 가게에 가도 거절당하고 언젠가 숲에 틀어박히게 될 거다…….

상상만 해도 싫다.

"어이어이, 내가 잘못했으니까 너무 고민하지 말라고. 자네가 기운이 없어서 농담한 건데, 그렇게까지 상처받은 표정을 지으면 죄악감이 생기잖아."

처음으로 가게 주인이 미안해하는 목소리를 들었다.

그만큼 내 안색이 좋지 않은 거겠지.

나는 약간 마음을 다잡고 새로운 실라의 목격 정보를 더듬어 찾기 위해 신성공화국 사이의 국경 근처로 향했다.

◇

마을에 도착했다.

아니, 마을이라기보다는 도회지나 도시에 가까울 것이다.

주위는 숲과 산에 둘러싸여 있다.

당연히 마물도 배회하는 듯했다.

그런 위험에 대항하기 위한 완강한 외벽이 마을을 지키고 있었다.

안에는 쉽게 들어갈 수 있었다.

옆이 신성공화국이면 침공이나 스파이 걱정도 없고, 비교적 안전하게 교류를 도모하고 있을 것이다.

(가게 주인이 말한 가게는…… 저건가.)

고기와 모피가 그려져 있는 큰 간판이 있었다.

상당히 붐비는 것 같았다.

그중 한 명에게 말을 걸어 사정을 설명했다.

"아아, 실라 씨? 아스테라교 신자도 그녀의 목격 정보를 찾고 있던데. 이 근방에서 실라 씨와 신성공화국의 기사와 전투를 벌였다는 이야기가 나와서 행방을 쫓고 있는 것 같아."

아무래도 여기서 날뛰고 있었던 모양이다.

흔적을 상당히 남기고 있다.

어쩌면 정말로 찾을 수 있을지도 모르겠다.

"그래서 마을 사람 중에서 누군가 봤다는 녀석은 있었어?"

"아니, 이 마을엔 없어. 하지만 이 마을에서 나오면 있는 산에 할아버지가 살고 있어. 그 사람이 마침 현장에 있었다는 이야기가 있지."

"마침 현장에 있었다고?"

"그래, 전투로 다친 기사가 말했어. '할아버지도 가까이에 있었다'라고 말이야."

마을 사람이 귀찮은 듯이 뒤통수를 긁으면서 계속 말했다.

"큰일이었다고, 그 할아버지랑은 교류가 거의 없으니까. 실라 씨를 찾으러 온 놈들이 마을의 할아버지를 전부 긁어모아도 기사가 봤다는 할아버지가 아니라서 말이야. 처음엔 우리가 실라 씨를 숨겨주는 게 아닌가 의심받았을 정도였다고."

"그건 큰일이었네. 그런데 전투할 때 그 자리에 있었다는 할아버지는 괜찮아? 휘말려서 다치거나 하진 않았지?"

"무사했던 것 같더군. 애초에 할아버지라면 A랭크 모험가와 기사의 싸움에 끼어들어도 팔팔했을걸."

하하하, 라며 농담하듯이 웃었다.

만약 실라와 기사가 전투하면 주위가 보통 위험한 정도가 아닐 것이다.

"그 할아버지가 그리 강해?"

"글쎄다? 나도 잘 몰라."

중요한 부분에서 남자가 물음표를 띄웠다.

내가 딴지를 걸려고 하자, 알아차린 남자가 먼저 보충했다.

"그게 말이야, 이 마을이 생기기 전부터 살고 있다는 얘기가 있어."

"이 마을이 언제 생겼는데?"

상당히 훌륭한 거리가 펼쳐져 있다.

외벽만 하더라도 쌓는 게 힘들 것이다.

무엇보다 사람의 수가 많다.

국경 근처라서 사람과 사람의 교류가 활발한 것이리라.

그래도 이 정도의 마을을 만드는 데는 상당한 노력과 세월이 필요할 것이다.

몇 년이나 수십 년 정도로는 도저히 무리라는 것을 알 수 있다.

"내가 태어나기 전부터 있었어. 30년은 너끈히 지났고, 할아버지는 그보다 더 전부터 있어. 굉장한 이야기가 있다고. 그 할아버지, 내가 꼬맹이일 때부터 똑같이 할아버지야."

"똑같다니?"

"계속 변함이 없다고. 그때나 지금이나 백발에 비틀거렸지."

"그렇구나."

용모 변화가 그다지 없다는 뜻일 것이다.

하지만 이쯤 되면 뜬소문 같은 이야기이려나.

생판 남인 사람의 변화를 세세하게 신경 쓰는 녀석은 드물다.

만나는 일 자체가 그리 없을 것이고, 주름 하나하나를 세는 녀석은 없을 것이다.

그런 것을 세고 신경 쓰는 사람은 본인 정도다.

"이거, 별로 안 믿는 눈치인데?"

"아니야. 굳이 거짓말할 이유도 없는 것 같고."

"그것도 그렇지만 말이야. 좀 더 대단한 이야기가 있지. 여기에 마을을 만든 건 내 아버지 세대인데, 그 전부터 내 할아버지가 종종 이 근처에 오는 일이 있었지."

"……설마, 그때부터 할아버지가 여기 있었다는 이야기는 아니겠지?"

"그 '설마'라고."

그렇다면 단순히 잘 늙지 않는다는 차원의 이야기가 아니다.

"왜 그렇게 긴 세월을 혼자 살고 있지?"

"몇 번인가 마을에 오라고 불렀지. 하지만 '여기가 편해'라면서 오지를 않아. 마물밖에 없는데, 뭐가 편하다는 건지."

남자가 동의를 구했다.

일단 수긍해뒀다.

나도 숲에서 지낸 경험이 있다.

항상 위기감을 가지는 걸 강요당하고 고독감도 심상치 않다.

"이야기해줘서 고마워. 일단 만나볼게."

"그래…… 별로 추천하지는 않지만."

그 경고는 실감이 났다.

마치 뭔가를 두려워하는 듯했다.

"왜? 할아버지의 정체가 실은 마물이든가 해?"

"뭐, 인간이 아니라 뭔가 장수하는 종족이라는 말도 있지만……. 할아버지 자체는 좋은 분이야. 아스테라교들이 문제라서 그렇지."

"기사들?"

"아니, '자원봉사'를 하는 신자 쪽이다."

말투에는 빈정거림이 섞여 있었다.

"그 녀석들이 어쨌는데?"

"가끔 이 마을에도 아스테라교를 포교하러 오는데 말이야. 상당히 미쳤어."

남자가 한숨을 쉬면서 민폐라는 듯이 말했다.

아무래도 마을에서도 평판이 좋은 신자는 아닌 모양이다.

이쯤 되면 남자가 무슨 말을 하고 싶은 건지 이해가 된다.

"그 자원봉사자라는 녀석들이 할아버지를 계속 따라다니고 있나?"

"정답이다."

"왜 할아버지를? 이야기는 이미 들었지?"

"어째 기억이 애매했는지 문답이 잘 안 됐나 봐. 우리랑 이야기했을 때는 그렇지도 않았는데, 결국 노화가 심해진 걸지도 모르지."

"내가 할아버지를 찾아가는 걸 말린 건…… 혹시 그 녀석들이 귀찮게 해서인가?"

"그럴지도 모른다는 이야기지. 하지만 그 녀석들은 마을에서도 몇 번인가 문제 되는 행동을 했어. 네가 강하다는 건 아주 잘 알고 있지만, 경계해서 나쁠 건 없겠지."

"알았어."

나는 고개를 끄덕이고 할아버지가 있는 자세한 장소를 물었다.

깊은 숲속.

그 안에서 이채를 발하는 것이 있었다.

작은 집이다.

그 주변만이 태양 빛을 받고 있었고, 빛 아래에는 거목도 침범할 수 없다는 듯이 나뭇가지 하나조차 집 가까이에 없었다.

그런 집의 바깥쪽에서 의자에 앉아 흔들거리는 노인이 한 명 있었다.

"당신이 레스 할아버지인가?"

"흐음? 자네는 누구였나……."

외모가 신선 같다.

백발에 주름이 쭈글쭈글한 얼굴.

유일하게 이미지와 다른 부분은 수염이 나지 않았다는 점 정도일까.

꽤 노쇠했는지 몸이 떨리고 있었다.

"잘 부탁해. 난 지드라고 해."

"흐음…… 지드 씨인가……? 어디선가 만났던가……."

"아니, 처음 보는데."

"오오, 그랬나."

아까 한 말을 잊어버렸다.

상당히 노망든 모양이다.

"레스 할아버지, 금발에 실라라는 이름의 여자아이를 못 봤어? 난 그 녀석을 찾고 있어."

"글쎄, 봤던가…… 요 몇 년 동안 사람과 만난 적도 없었던 것 같기도 한데……."

이거 난처하네.

레스 할아버지라는 이름에 반응하고 있으니, 분명 마을 남자가 말한 할아버지가 맞을 것이다.

그렇다면 몇 년 동안 사람과 만난 적이 없을 리가 없다.

적어도 요 며칠 사이에 기사가 방문했다.

그리고 실라에 대한 질문을 받았을 것이다.

갑자기 레스 할아버지가 내 허리를 봤다.

"으음? 좋은 검을 가지고 있구먼……."

"아아, 이거. 알겠어? 성검이라고 해."

아직 엉망진창으로 녹이 슬어있다.

가끔 녹이 떨어져 안에 있는 날카로운 도신이 보였다 안 보였다 하는데, 진짜 모습을 되찾는 건 언제가 될지.

"흐음…… 뭐, 사람이 오는 건 오랜만이니. 안에 들어가서 차라도 마시는 건 어떤가."

"갑자기? 그럴 시간은 없는데……."

기사들이 이야기를 듣지 못한 이유를 잘 알겠다.

기억을 그다지 떠올릴 수 없게 되었을 것이다.

이러면 각지에 전이해서 탐지 마법으로 넓은 범위를 찾는 편이 좋다.

마력 소비량을 생각하면 하루에 두 번이 한계겠지만, 가능성은 이쪽이 더 높을 것 같다.

그러나.

할아버지가 무거워 보이는 눈꺼풀을 살짝만 열고 이쪽을 봤다.

"조금만 더 있으면 뭔가 생각이 날 것 같은데."

하여간 말은…….

하지만 그런 말을 들었다면 어울려주는 수밖에 없을 것이다.

"알았어. 잠깐이라면."

내가 고개를 끄덕이자 레스 할아버지가 일어나서 집 안으로 들어갔다.

"훗훗호. 들어오도록 하게."

"그래, 실례할게."

내부는 소박했다.

하지만 책상에 의자에 매직 아이템을 활용한 부엌까지 있었다.

그 외에도 몇 개의 방이 있었다.

(상당히 현대적이네.)

그런 감상을 품었다.

숲속에서 혼자 살 정도니까 사람이나 문명을 싫어하는 게 아닐까 하는 생각도 했다.

하지만 이 모습을 보면 숲 외부와 교류는 하는 걸까.

(혹시 실라의 행방을 쫓고 있는 자로부터 정보를 얻기 위해 신자가 변장…… 했다거나?)

딸깍, 하고 찻잔이 놓였다.

벌써 차를 끓인 듯했다.

"훗호. 그렇게 경계하지 않아도 되네. 자, 앉게나."

"어, 어어. 고마워."

내 심정을 딱 맞췄다.

노망이 들었나 싶었는데 갑자기 예리해진다.

이건 정말 뭔가에 홀린 걸지도 모르겠다.

"어라, 또 손님인가."

내가 앉는 것과 동시에 레스 할아버지가 방 바깥으로 향했다.

확실히 바깥에서 기척이 느껴진다.

탐지 마법을 쓰니 약간 거리가 떨어진 곳에서 집단이 다가오고 있다는 걸 알 수 있었다.

하지만 아직 사람의 그림자조차 보이지 않았다.

(이 할아버지…….)

레스 할아버지가 손님을 응대하기 위해 밖으로 나갔다.

문은 살짝 열려있는지 목소리는 들을 수 있었다.

"할아버지, 만나러 왔어."

"그런데, 뉘신지……?"

"아스테라교의 신부야, 기억 안 나?"

"흐음……?"

레스 할아버지가 나를 봤을 때와 같은 태도로 대화하고 있다.

밖으로 나가는 순간에 노망이 나는 걸까.

"뭐, 나에 대한 건 됐어. 하지만 어제 말해둔 건 기억해야 해.

어제 할아버지가 메모 같은 건 안 남겨뒀어?"

신부인가 뭔가 하는 자의 목소리는 무서우리만큼 냉철했다.

목소리에는 웃음이 담겨있지만, 안 봐도 알 수 있었다.

눈은 웃고 있지 않을 것이다.

"글쎄…… 메모 같은 게 있었던가……."

"나이를 먹는다는 건 불쌍한 일이야. 이걸 알아보겠나? 할아버지."

"검인가…… 몸을 지키기 위한 무기라고 기억하고 있지."

"살짝 아깝네. 이건 네 기억을 파헤치기 위한 도구야."

역시 못 들은 척할 수 없었다.

의자에서 일어나 문을 열었다.

밖으로 가니 검을 든 젊은 신부 차림을 한 남자가 있었다.

그 외에도 무장한 놈들이 있다.

신자인 걸까.

"누구냐, 넌."

"날 모르나?"

"모르는데. 너야말로 금발 여자를 못 봤나?"

"금발 여자가 어디 한둘이어야지."

"하아…… 나 참. 이거라고, 이거."

신부가 종이를 꺼냈다.

거기에는 실라의 얼굴이 그려져 있었다.

"모르겠는데."

"칫, 그럼 처음부터 말 걸지 말라고!"

위압적인 말투다.

신을 섬기는 인간으로서는 해서는 안 될 행동이라 할 수 있을 것이다.

나에게 소리쳐서 기분이 풀렸는지, 다시 레스 할아버지 쪽을 보고 검을 겨눴다.

"기억해내라. 여기서 그리 멀지도 않은 아스테라 교회를 부수고, 게다가 경호하던 신성공화국의 기사를 쓰러뜨리고 도망쳤다고. 쫓아간 기사가 이 근처에서 쓰러졌고, 그때 네가 있었다고 증언했다. 숨기고 있는 것 아니냐?"

"글쎄……?"

레스 할아버지의 반응에 남자가 검을 들어 올렸다.

"──오른팔을 베어내면 생각나겠지!"

"──!"

나는 레스 할아버지와 신부 사이에 들어가 신부와 검을 튕겨 냈다.

"악…… 아아악! 아파!"

"힘 조절했어. 다음은 말을 못 하게 될걸."

"이 자식…… 뭐 하는 놈이냐! 내가 아스테라의 신관이라는 걸 알고 이러는 거냐!"

"진짜 날 몰라? 이거 엄청난 불량 신부네. 진·아스테라교에 엄니를 드러낸 괘씸한 놈도 모르다니."

내 말에 호위들이 수군거리기 시작했다.

"어, 어이. 이 녀석 지드 아냐? 길드의 S랭크인……."

"신성공화국에서 강한 마족을 쓰러뜨렸다는 그 사람? 어라? 용사가 되기를 거절한 사람이었던가?"

"멍청아, 둘 다야!"

이 녀석들은 정보를 제대로 알고 있다.

하지만 신부는 전혀 모르는 듯했다.

"어이, 너희들! 뭐든 좋으니까 저 녀석을 구속해라!"

"바보 같은 소리 하지 마라! 엮이는 게 손해라고!"

그런 대화를 하면서 호위가 빠르게 달아났다.

신부도 불리하다고 판단하자마자 아무 말 없이 무아지경으로 뛰어서 어딘가로 사라졌다.

노인이 날 보면서 싱긋 미소 지었다.

"훗훗호. 고맙네."

그 말에는 확실한 감사가 담겨있었다.

하지만 어딘지 경박함이 있다고 느껴 확신을 얻었다.

"당신, 시험한 거지? 신중하게 실력을 숨기고 있지만, 그 신부보다 강해."

"……알 수 있나?"

약간 시간을 두고 말했다.

아무래도 내가 간파해서 놀란 모양이다.

"반은 감이야. 내 눈으로도 당신의 실력이 안 보여. 그렇게 고도로 연마된 마력은 처음 봐……. 아니, 전에 딱 한 번 본 적이 있어. 내가 자란 숲에서 '주인'이라 불렸던 마물이야. 그때 이외에는 본 적이 없어."

"홋홋호. 그 눈, 훌륭하군."

노인이 집 안으로 들어갔다.

그리고 나도 레스 할아버지를 따라가 방에 있는 의자에 앉았다.

"차가 식었으려나. 새로 탈까."

찻잔에서 김이 나오고 있다.

입에 대니 뜨거움이 느껴졌다. 편안하다.

"왜 날 시험했지?"

"아스테라교가 마음에 안 들기 때문이다. 하지만 사람은 좋아하지. 특히 착한 사람은."

레스 할아버지가 나를 봤다.

착한 사람이라는 게 날 가리킨다는 걸 싫어도 알 수 있었다.

"내가 그 녀석들이랑 손잡고 있을 가능성도 있잖아?"

"용사가 되기를 거부한 자네와 아스테라교 신부가? ……아아, 아니지. 지금은 진·아스테라교였나?"

"거기까지 알고 있나."

"진·아스테라교의 일부 멤버는 자네와 사이가 좋지. 창립에 도움을 받았으니까. 은혜를 느껴도 이상하지 않아. 하지만 조직에서는 적대하는 기색이야. 힘 앞에 굴복하는 것 외에는 재주가 없는 불량 신부가 창립 때부터 함께 있었을 리가 없지. 필연적으로 손을 잡고 있을 것이라 볼 수 없어."

"어이 어이, 이건 조금 잘 아는 수준이 아닌데……."

"단순히 늙어빠진 할아버지인 줄 알았나?"

레스 할아버지가 씨익 웃었다.

이 짓궂은 얼굴은 내가 속고 있었다는 것을 확신하는 얼굴이다.

"이만하면 배우를 해도 되겠네."

"홋홋호. 겉모습을 이용하고 있을 뿐이라네. 전문가에게는 당해낼 수 없지."

"그런가."

칭찬을 받아 기분이 나쁘진 않은 모양이다.

하지만 정말 대단한 할아버지다.

노련, 노회.

방심하면 잡힌다.

그 불량 신부가 상대였으면 얼마나 좋았을까.

"그런데 금발 아가씨를 찾아서 어쩌려는 겐가?"

"역시 알고 있었나. 반대로 묻고 싶어. 왜 숨기고 있었지? 위험에 처할 가능성도 있었잖아."

그 불량 신부를 격퇴할 힘은 있을 것이다.

하지만 그건 진 · 아스테라교와 적대하는 일.

더 말하자면 신성공화국의 기사와도 척지는 일이다.

국가와도 대립하는 것은 그다지 좋은 생각이라 할 수 없다.

적어도 농담으로 숨겨도 될 정보가 아니다.

"……."

내 물음에 레스 할아버지는 침묵으로 대답했다.

이건 물어봐도 헛수고겠구나.

또 잊어버린 척을 하면 곤란하다.

얌전히 질문에 대답하자.

"찾고 있는 이유였나. 간단해. 아는 사람이라서야. 연락이 안 돼서 만나고 싶어."

"만나서 어쩔 텐가? 진짜 그녀인지 어떤지도 모르잖나?"

"그 불량 신부가 보여줬잖아? 진짜야."

사실은 다르지만.

뭐, 그래도 레스 할아버지와는 상관없는 일이다.

그렇게 생각하고 있었지만.

"외모가 똑같아도 다를지도 모르잖나. 더는 자네가 아는 사람이 아닐지도 몰라."

"…………당신."

이 질문은 깊이 생각해야 할 것이다.

실라의 상황에 대해 알고 있다.

아니, 그 녀석이 네림이라는 걸 알고 있다.

역시 숨기고 있던 이유가 있나……?

"그렇게 적의를 보이지 말게. 그러지 않아도 어디 있는지 알고 있으니."

"……어디에 있지? 실라는."

"신성공화국으로 갔네. 대략적인 목적지는 지도에 써주지. 구하러 가는 게 좋을 것이야."

믿어도 될까.

아니, 믿는 수밖에 없다.

"고마워, 레스 할아버지."

"뭘, 신경 쓰지 말게. 그리고 레스는 내 애칭이네."

"그래?"

그러고 보니 마을 남자에게 들은 이후로는 그렇게 부르고 있었다.

누구에게나 본명은 있는 법이다.

"내 진짜 이름은 레이니스. 기억해두게."

"좋은 이름이네."

"그런 말을 들으니 기쁘군. 하지만 너무 아무에게나 말하지 말게. 레스 할아버지라 불리는 게 마음에 들어."

"그래, 알았어."

그리고 난 집에서 나왔다.

◇

레스 할아버지와 헤어지고 얼마 후.

받은 지도를 의지해서 실라가 갔다는 목적지 근처까지 왔다.

지금은 크제라 왕도와 신성공화국을 잇는 도로를 걷고 있다.

　이 길은 포장되어 있고 양옆에는 숲이었다.

　평소에 상인과 여행자 등이 다니는 길일 것이다.

　상당히 움직이기 편하다.

　또 군대도 사용하는지 폭이 넓다.

　문제는 마물에게 습격당하기 쉽다는 점일까.

　탐지 마법을 쓰고 있는데, 마물의 기척이 전혀 끊이지 않는다. 그래서 호위를 받는 대상이나 실력에 자신이 있는 듯한 자 외에는 횡단하는 경우는 없었다.

　하지만.

　또 한 명이 지나간다.

　서적을 탐독하고 있어서 빈틈투성이인 청년이다.

　상당히 방심한 것 같은데―― 마물이 덮쳤다.

　마물도 몹시 약삭빠르다.

　하지만 난 청년의 확실한 마력의 움직임을 파악했다.

　숙련자 정도는 아니지만, 충분히 싸울 수 있는 수준인데―― 깨끗하게 마물에게 밀려 쓰러졌다.

　"어이 어이."

　나는 바로 마물을 쫓아냈다.

　독서에 상당히 집중하고 있었던 모양이다.

　"……으아, 이거 고맙습니다."

　"그래, 괜찮아?"

"문제없습니다. 역시 문자를 쫓는 나머지 주변을 잊어버리는 버릇이······."

청년은 땅에 떨어뜨린 안경을 주웠다.

그리고 내가 내민 손을 잡고 일어섰다.

"이거 고맙습니다. 이 은혜는····· 응?"

청년은 안경을 고쳐 쓰면서 내 얼굴을 가만히 바라봤다.

"왜? 내 얼굴에 뭐 묻었어?"

"지드 씨?"

"그래, 그런데?"

이 녀석도 날 싫어할까.

반쯤 반사적으로 그런 생각을 하고 만다.

하지만 청년은 태연하게 웃음을 띠고 나에게 호감 있게 반응했다.

"그럼 도움받은 건 두 번째네요."

"응?"

누구였을까.

얼굴이 기억이 안 난다.

"스틸비츠에서 전쟁이 났을 때 구출된····· 아니, 이렇게 말하는 편이 알기 쉽나요. 꼬치구이집의 아들이에요. 에이겔이라고 합니다."

갈색 머리카락에 어딘지 학자 같은 용모를 하고 있었다.

나랑 비슷한 나이일까.

"아아~!"

스틸비츠 때는 얼굴을 제대로 안 봐서 기억이 안 났다.

들고 보니 주인아저씨와 닮은 것 같다.

내가 생각난 기색을 보이자 청년 에이겔은 만족스러운 표정을 지으면서 주위를 봤다.

"그런데 무슨 일인가요. 이런 곳에서?"

"사람을 찾고 있어. 실라라고 하는데, 몰라?"

길드 카드에 비친 금발 소녀를 보여주며 물었다.

솔직히 기대는 안 했다. 그다지 적극적으로 길을 가는 사람의 얼굴을 보는 성격을 가진 것 같진 않았기 때문이다.

하지만 예상과는 달리 에이겔은 긍정적으로 고개를 끄덕였다.

"이분이라면 알고 있어요. 마침 저도 찾고 있었으니 같이 안 갈래요?"

"그래? 넌 무슨 목적으로?"

"토벌이에요. 아스테라에 피해를 주고 있어서."

"그런가."

그럼 같이 갈 수 없겠구나.

되도록 누구에게도 알려지지 않고 포박해야만 하는 이상, 그는 경합해야 하는 적이다.

"어라, 같은 목적이 아닌 것 같네요."

"왜 그렇게 생각하지?"

"보통 목적이 같으면 좀 더 긍정적인 태도를 보이는데, 지드 씨의 반응은 안타까움과 적의가 섞여 있었어요."

"상당히 예리하네……."

이젠 숨기는 것도 귀찮게 느껴졌다.

"지드 씨의 목적을 가르쳐줄 수 있나요?"

"왜?"

내가 먼저 물은 이상, 이 질문에 대답하지 않으면 불평등하다.

하지만 지금의 나는 적이 많다.

그다지 쉽게 말해도 되는 내용도 아니다.

그래서 경계하고 말았다.

하지만 그런 태도에 불신감을 품지 않고 에이겔은 담담하게 안경을 슬쩍 올리면서 말했다.

"협력하고 싶으니까요. 당신에겐 은혜를 입었고, 아버지와 친하게 지내고 있으니까요."

"호오."

얄팍한 이유로도 느껴졌지만, 완전한 거짓말은 아닌 것 같다.

수상쩍게 여기는 내 표정을 다시 읽었는지, 자신의 결백을 증명하듯이 주머니에서 장방형의 매직 아이템을 꺼냈다.

"실라 씨가 있는 곳을 알고 있어요."

네 모서리는 작은 구체로 이루어져 있고, 그 외에는 납작했다.

평면에는 지도와 빨간 점이 표시되어 있었다.

특징적인 것은 그뿐만이 아니었다.

가는 마력의 실이 무수하게 매직 아이템에서 뻗어 나와 있었다.

의식적으로 보지 않으면 나도 못 알아차릴 정도다.

"신성공화국 안에서도 보물이 보관된 튼튼한 시설로 가고 있는 것 같아요. 지금은 스피 씨도 있는 곳이라 기억하고 있어요."

"……이 빨간 점이 실라인가? 대단하네."

"한정적인 탐지 마법이에요. 이걸 표식으로 삼아 감지하고 있어요."

그렇게 말하면서 에이겔이 다시 꺼낸 것은 마름모꼴의 매직 아이템이었다.

"그걸 쓰면 실라가 어디에 있는지 알 수 있어?"

"정확하게는 마력 패턴을 읽는 도구예요. 실라 씨의 마력 패턴을 저장하기 위해 여러 번 습격해서 겨우 기록했죠."

"잘은 모르겠지만 대단하네. 하지만 한정적이란 말은 이곳에 올 거라는 걸 알고 있었어?"

"아뇨. 이 모체의 표시용 매직 아이템은 안테나 역할을 하는 매직 아이템을 설치해두면 연동해서 다른 곳도 표시해줘요."

에이겔이 시험 삼아 다른 지도도 읽어 들여줬다. 그곳에는 빨간 점 같은 건 표시되지 않았다.

"그렇구나."

"실라 씨의 행동 목적은 아스테라교의 파괴로 보여요. 그래서 신자분들의 협력을 얻어서 아스테라 관련 시설에 안테나를 설치했어요…… 응? 이건……?"

에이겔이 자신만만하게 설명하고 있으니 표시용 매직 아이템

이 흔들렸다. 빨간 점이 싹 사라지고, 아까 전까지 보던 지도에도 변화가 생겼다.

"왜 그래? 매직 아이템이 파괴당했어?"

"아뇨, 파괴당하진 않은 것 같네요. 하지만 매직 아이템이 오작동을 일으킬 정도의 뭔가가 발생한 것 같아요."

"……결국은 가봐야 한다는 거네."

"그렇죠. 스피 씨는 '그 사람'이 호위하고 있으니 괜찮겠지만. 뭐, 가는 편이 좋을 것 같네요."

에이겔이 빠른 걸음으로 갔다.

잠깐 같이 행동할지 망설였다.

하지만 나는 곧 그를 따라 걷기 시작했다.

에이겔의 매직 아이템은 유용하다.

그리고 그 정보를 전해줄 정도로 나에게 협조적이다.

하지만 여전히 의심은 남아있다.

왜 일개 꼬치구이집의 아들이 대사제급 이상이 아니면 모른다는 스피의 거처를 아는가?

하지만…… 역시 나에겐 없는 것을 가지고 있다.

그리고 일부러 이걸 나에게 보여줬다는 건, 자신은 정말로 협력하고 싶다는 뜻이리라.

그렇다면 나도 믿어야 한다.

그 집의 꼬치는 맛있으니까.

◇

산맥에 둘러싸인 산기슭.

평소 같았으면 웅대한 경치가 펼쳐져 있었을 것이다.

하지만 지금은 어떠한가.

"처참하네요."

에이겔이 중얼거렸다.

산맥은 이지러지고 불이 섞인 연기가 자욱했다.

아비규환에 빠진 사람들의 소리가 여기저기서 들렸다.

이곳은 마치 전장과 같았다.

아니, 전장이라 부르기에는 심하게 유린당한 것 같은데.

"저건 뭐지?"

"아마 정령이겠죠. 숫자가 상당해요. 게다가 상위 정령뿐……."

정령.

그러고 보니 엘프 마을에서 소환됐었다. 그것과 같은 종족인
건가.

"실라 씨는 아마 저쪽에 있을 것 같은데…… 흠."

에이겔이 깊은 삼림으로 이루어진 부분을 가리켰다. 녹음이 우
거져 있어 사람의 모습은 보일 리가 없다.

하지만 나도 탐지 마법을 구사하면 사람의 마력을 탐지할 수
있다.

"있는 것 같네. 먼저 갈게."

"알겠습니다. 전 정령에 대처하겠습니다. 그쪽 일이 끝나는 대로 도와주셨으면 좋겠어요."

"실라는 괜찮아?"

"굳이 말하자면 스피 씨가 우선입니다. 이 정령들은 그냥 넘어갈 수 없어요."

그렇게 시원스러운 표정으로 말하는 걸 보니, 상당히 여유가 있는 것처럼 보였다.

하지만 그다지 강해 보이진 않았다.

전투 스킬은 그럭저럭 있겠지만, 정말로 스피를 구하러 갈만한 힘이 있을까.

오히려 그에게 있어서는 여기서 도망치는 게 더 올바른 선택지라는 생각이 많이 들었다.

그래도 에이겔에게 확고한 자신이 있는 것처럼 보이니 믿도록 하자.

굳이 말리는 게 더 멋이 없다.

무엇보다 나에게도 우선해야만 하는 일이 있었다.

"그럼 스피는 부탁할게."

"굳이 제가 갈 필요 없을지도 모르지만요."

에이겔도 아는 모양이다.

내 탐지 마법에는 스피를 지키는 강자가 포착되었다. 다른 자보다 유독 뛰어난 실력자가 있는 것 같았다.

그 녀석이 네림과 싸우면 실라의 몸은 버티지 못할 것이다.

날뛰는 정령을 쓰러뜨리고 피해서 네림에게 다다랐다.

사검을 휘둘러 공간에 균열을 만들어내면서 정령을 소환하는 듯했다. 엘프 때와는 수단이 다르다.

폭주시키는 것이 전제된 소환 절차일 것이다.

처음부터 사역할 생각은 없고, 일대를 파괴하기 위해 불러냈다는 것을 알 수 있었다.

"마법을 상당히 폭넓게 아는 것 같네. 사실은 검사가 아니라 현자였던 거 아냐?"

"검술이 더 자신 있어."

나를 쳐다보지도 않고 담담하게 대답했다.

"손에 든 그 사검은 네 허물 같은 거냐?"

"이건 오리지널 사검. 내가 이 사검의 형상과 성능을 마법으로 모방하고 있었어. 내 애용품이라서 이미지하기 쉬웠지. 그래서, 넌 어떻게 여기까지 왔지?"

"노력으로."

"……그래."

나와의 문답은 지루했던 모양이다.

한숨을 쉬면서 검을 쥐었다.

"난 싸울 생각 없어."

"그럼, 뭐하러 왔어?"

"실라를 돌려줘. 그리고 나랑 같이 리프에게 가줬으면 좋겠어."

"리프라면 그 어린 여자애지? 왜?"

상당히 회의적이다.

이유는 나도 모른다.

그저 그렇게 부탁받았을 뿐. 하지만 그렇게 말한들 순순히 수긍하지는 않겠지.

난 리프를 신뢰하고 있지만, 네림은 아니다.

"반대로 묻자. 넌 왜 날뛰고 있는 거야? 실라의 몸을 원했다⋯⋯ 그런 이유만 있는 건 아니지?"

"내 원래 몸이 썩었다고 생각하는 거야? 일을 마치면 이 몸은 잘 돌려줄 거야."

"그럼 왜──."

말하려다가, 멈췄다.

네림이 전이한다.

마력을 날려버려 마법 행사를 중단시키자.

아니, 안 된다.

때를 못 맞춘다.

"기다려!"

"기다릴 수 없어. 충고해두지. 아스테라와는 너무 관련되지 마."

다음 순간에는 네림의 모습은 없었다.

바로 탐지 마법을 넓게 전개했다. ──⋯⋯찾았다.

오랫동안 실라에게 붙어있었는데, 내 탐지 마법의 유효범위까지는 몰랐던 걸까.

아니면 바로 도망칠 가능성도 있으니.

(쿠에나에게 연락해야지.)

길드 카드를 이용해 쿠에나에게 네림의 행선지를 전달했다. 대략적인 장소만 알려주면 추적해줄 것이다.

……그 외에도 두세 마디 덧붙여 놓았다.

(자, 그럼.)

아직 폭주를 멈추지 않는 정령들이 있는 곳으로 향했다.

이쪽도 일이 급할 것이다.

정령의 모습은 실로 다양했다.

마물과 비슷한 녀석도 있는가 하면, 특정한 형태가 없는 녀석도 있었다. 예를 들자면 불꽃이 그렇다. 그 외에도 사람이 그대로 커진 듯한 녀석도 있었다.

문제가 있다면 이성이 없다는 점일까.

네림은 의도적으로 그들을 폭주시키고 있으니 당연하다면 당연하지만.

"웃차."

정령 격퇴법은 지극히 간단하다.

일정 이상의 자극을 주는 것.

뭐든 좋다.

때린다.

찬다.

마법을 맞힌다.

그렇게 하면 원래 있던 곳으로 돌아간다.

정령계라고 했던가.

(근데 수가 좀 많네.)

정령들이 건조물을 둘러싸듯이 하여 쳐들어가고 있다.

일단 방어하는 세력과 대화하자.

"전이."

"으엇!"

기사 한 명이 내 존재에 놀랐다.

반사적으로 검을 휘두르기에 막았다.

"잠깐, 아군이야. 마침 근처에 있었는데, 협력하고 싶어."

"지드 님……?!"

어째 나를 아는 듯했다.

그렇다면 말이 잘 통할 것이다.

"지휘관은 누구지? 내가 해야 할 일을 알려주면 좋겠어."

"그, 그렇다면──."

"네가 할 일은 내가 주지."

"?"

빨간 머리카락.

탄탄한 몸매.

대검을 짊어졌고, 잘 단련된 마력이 몸을 감싸고 있었다.

나이는 마흔 정도일까.

"로, 로이터 님!"

"넌 가라. 내가 지드에게 말하지."

"알겠습니다."

로이터.

한 기사가 그렇게 불렀다.

그렇군, 그가 인간 최강이라 불리는 모험가 '별을 떨어뜨리는 자' 로이터인가.

"처음 보는군. 난 로이터다. 네 이야기는 자주 들었다."

문득 그의 말에서 위화감을 느꼈다.

처음 본다.

정말 그럴까.

어째서인지 그런 생각은 안 들었다.

하지만 그 위화감을 긍정하거나 부정하는 기억은 없었다.

"나도 너에 대해서는 자주 들었어."

"그거 영광이군. 그럼 내가 검성으로 선택받은 것도 알고 있나?"

"그래, 물론이지."

"그럼 누가 용사로 선택받았는지도 들었겠지?"

이건 비꼬는 건가?

아니면 순수한 질문인가.

어쨌든 그다지 좋은 의미는 아닌 것 같다.

"그보다 빨리 정령을 막아야 하잖아."

"……그보다? 아스테라 님 외에 우선해야 하는 일이 있나?"

"당연하지. 지금 이렇게 기사들이 분전하고 있어. 우리가 같이 싸우면 피해가 줄어들잖아. 그렇다면 용사네 검성이네 이런 이야기를 하기보다는 싸우러 가야지."

"그렇군. 이대로 가면 시설에 피해가 생긴다."

뭔가 약간 어긋났다는 느낌이 들었다.

문득.

아까 본 기사가 정령을 상대로 고전하는 모습이 눈에 들어왔다.

이대로 가면 큰일 날 것 같다.

"저쪽을 도와주러 간다."

"기다려라. 그보다 시설에 다가오는 정령 무리가 있다. 그쪽이 먼저다."

로이터가 담담하게 가리켰다.

"그럼 그쪽은 네가 처리해줘."

"수가 많다. 거기 있는 기사 한 명보다 시설을 지키는 게 더 중요하다. 저곳은 아스테라님의 은혜를 받은 곳이다."

"……뭐?"

내 어깨를 잡고 억지로라도 자기 의견을 들려줬다.

뭐지, 이 녀석은.

"넌 용사다. 올바른 선택을 해라. 기사의 목숨도 중요하지만, 그 이상으로 중요한 것도 있다. 우리는 백성을 선도하는 자로서 다수의 행복을 취해야만 한다."

어긋남.

이 녀석과는 안 맞는다.

그런 예감이 들었다.

소수의 희생 위에 다수의 평온이 성립된다.

논리는 이해된다.

그렇게 해야 할 때도 있겠지.

하지만 이 녀석이 과연 혼자 시설을 지킬 수 없을까?

아니, 그렇진 않을 것이다.

이 녀석은 상위 정령이 떼지어서 덤벼도 당해낼 수 없다.

숨길 것도 없이 날 힘으로 막고 있다.

"내가 용사가 되기를 거절했다는 이야기는 들었을 텐데. 그런 걸 따를 이유는 없어. 무엇보다 눈앞에서 위험에 처한 녀석을 무시할 수 있겠냐."

난 로이터를 뿌리치고 기사 앞에 선 정령을 쳐서 쓰러뜨렸다.

날아간 정령에 의해 나무들이 쓰러졌고, 이윽고 그 모습이 사라졌다.

"괜찮아?"

"아, 네! 감사합니다!"

기사가 만신창이가 됐으면서도 웃음을 띠었다.

만약 내버려 뒀다면 이런 얼굴도 못 봤을 것이다.

로이터의 생각도 잘못된 건 아니다.

하지만 내가 그에 따를 도리도 의리도 없다.

나를 노려보고 있는 로이터를 봤다.

"난 내 방식으로 참전한다. 네 지시는 안 따라."

"……그럼, 보고 있어라. 네가 가지 않은 결과, 어떻게 됐는지."

로이터가 시설 쪽을 돌아봤다.

설마 도우러 가지 않을 생각인가?

그 순간── 대폭발.

하지만 그건 정령 무리에 큰 피해를 주는 폭발이었다.

"……뭐야?"

로이터가 아연실색했다.

아무래도 그 역시 예상하지 못한 일이었던 모양이다.

이건…… 에이젤인가.

작게나마 그의 마력이 보였다.

몹시 미미한 수준이었지만.

적어도 이만한 대폭발을 일으킬 정도는 아니었다.

"아무래도 난 운이 좋았던 것 같네."

"칫."

뭐, 폭발이 없었어도 전이로 때를 맞췄겠지만.

하지만 로이터도 진심을 발휘했다면 혼자서 어떻게든 했을 것이다.

이렇게까지 시간을 써서 나에게 이야기하는 의미가 있었을까.

설마 날 타이르고 있는 건가……?

목적을 모르겠다.

하지만 지금은 빨리 정령을 퇴치해야 한다.

아직 많이 남아있으니까.

그리고 이 일이 끝나면──.

제3화 실라의 행방

실라의 행방을 찾기 위해 쿠에나는 정보상을 찾아갔다.

크제라 왕도에서 떨어진 마을.

왕도와 비교하면 규모는 작게 느껴지지만, 크제라 안에서는 두 번째 도시다.

그런 곳의 뒷골목, 더욱 깊숙한 어둠 속.

천으로 구분된 추레한 곳이 있었다.

쿠에나는 그곳으로 들어갔다.

"사람을 찾고 있는데."

안에는 윤기가 흐르는 백발의 소녀가 있었다.

"으이, 쿠에나 씨 아닙까."

"오랜만이네. 에쿠."

둘은 알고 지낸 지 몇 년 됐다.

쿠에나가 인정한 실력 좋은 정보상으로서, 필요한 정보가 있으면 왕도에서 다소 멀더라도 굳이 찾아갈 정도였다.

"실라 씨를 찾으러 온 검까?"

"그래. 목격 정보라도 좋아."

"그건 살짝 비싼데 말이죠~."

"정보가 있는 모양이네?"

에쿠의 정보는 믿을만하다.

정보가 있다면 쿠에나는 돈을 아낄 생각이 없었다.

"물론이죠오. 그치마안, 이건 아는 녀석이 별로 없는 희귀 정보라~. 심지어 함구령이 내려져서, 다른 곳에선 알기 꽤 어려운 정보란 말이죠."

"그래서 얼마야?"

"이 정도임다."

에쿠가 손가락 세 개를 세웠다.

미안하다는 듯이 윙크까지 보냈다.

"은화 30개?"

"아뇨, 금화 3개입죠."

"비싸네."

정보료치고는 터무니없는 가격이었다.

어차피 애매한 목격 정보가 고작일 테고, 그나마도 정보상에게는 그다지 가치가 없는 사람을 찾는 정보인데도 이런 가격.

에쿠가 덧붙였다.

"실라 씨를 찾는 조직이 둘이나 있어요. 하나는 신성공화국의 기사단이고, 또 하나는 진·아스테라교죠."

"하, 정보를 원하는 사람이 많다, 이거지?"

"그렇습죠. 그래서 금화 3개. 입막음 비용도 포함되어 있다고 보시면 됨다."

에쿠가 말하는 이상, 정말로 정보를 말한 상대에 대해서는 입을 열지 않을 것이다. 쿠에나는 그런 확신이 있었다.

하지만 쿠에나에겐 또 하나의 걱정이 있다.

"그럼 이 정보를 다른 누군가에게 넘겼어?"

"아뇨, 아직이요."

"그럼 이 정보는 아무에게도 팔지 마."

"음, 독점하고 싶으십까?"

"그래."

쿠에나의 말에 에쿠가 한순간 침묵했다.

그리고 씨익 웃었다.

"그럼 금화 30개임다."

"……알았어. 하지만 당장은 20개밖에 없으니까, 10개는 나중에 줄게."

"보통은 어림도 없는 소리지만, 쿠에나 씨는 중요한 손님이니 믿도록 하죠. 특별히 해주는 검다?"

"고마워."

쿠에나가 주머니에서 마대를 꺼내서 건넸다.

미리 채워져 있던 금화 20개가 묵직하게 책상에 놓여 짤랑짤랑하며 서로 부딪쳤다.

"감삼다."

에쿠는 확인하지도 않고 마대를 그대로 품에 넣었다.

그리고 쿠에나 쪽을 봤다.

"그런데 왜 그렇게까지 실라 씨를 찾으려 하는 건가요? 독점한다는 건 누구보다 먼저 찾고 싶다는 거죠? 거기에 그 돈을 낼 만한 리턴이 있다는 것이고."

"신경 안 써도 돼."

쿠에나가 에쿠의 질문을 딱 잘라버렸다.

쓸데없이 파고들지 말라는 의미였다.

"죄송함다. 정보상의 본분이라서."

에헤헤, 라며 에쿠가 가볍게 머리를 숙였다.

"그래서, 실라는 어디에 있는데?"

"잠깐 기다려주십시오."

에쿠가 포대를 꺼냈다.

포대는 여러 끈으로 묶여있었다.

끈에는 각각 특징이 있었다.

극단적으로 긴 것과 짧은 것도 있는가 하면, 빨간색과 파란색 등의 색이 있거나 묶은 방식이 다르거나…… 그것이 정보를 엄중하게 보관하기 위한 암호 역할을 하는 매직 아이템이라는 걸 간파할 수 있는 자는 적을 것이다.

에쿠가 각각의 끈을 복잡하게 만진 뒤에 포대에서 한 장의 종이를 꺼냈다.

대륙 전토가 그려진 지도였다.

하지만 딱히 특별한 기록이 있는 건 아니었다. 전란의 시대라면 상세한 지도는 값을 매길 수 없을 정도로 비싸지만, 지금은 어디에나 있는 물건이다.

"그럼, 이 지도에 마법의 가루를 뿌리겠습니다."

에쿠가 포대에서 병 4개를 꺼냈다.

그리고 파란색 가루를 적당히 꺼내 지도에 뿌렸다. 지도의 여러 곳에 파란 점이 생겼다.

다음은 노란색 가루를 꺼내고 같은 요령으로 뿌렸다. 이번에는 파란색 점 몇 개를 둘러싸듯이 노란 동그라미가 생겨났다.

"이 파란 점이 실라 씨의 목격 정보입니다. 그리고 파란 점을 둘러싸고 있는 노란색 동그라미는 신성공화국의 기사나 아스테라교 신자들이 중점적으로 탐문을 진행한 곳이죠."

"그렇구나. 신성공화국 주변에 많을 것 같네."

"그럼, 다음 가루입다."

에쿠가 검은색 가루를 뿌렸다.

그건 날짜와 시간대였다.

"이건?"

"실라 씨가 출현한 시간대임다. 확실하지 않은 정보는 제외했지만, 대략적인 시간은 알 수 있을 검다."

보통 전이 마법은 하루에 몇 번이고 쓸 수 있는 것이 아니다.

그렇기에 그녀의 행동 패턴에서는 특징이 없었다.

전이한 곳 주위의 아스테라교 시설을 모조리 파괴한 경우도 있는가 하면, 하나만 부순 경우도 있다. 그리고 후자의 경우에는 다시 찾아와서 파괴했다.

자기 위치를 감추려고 부지런히 움직이고 있었다.

"흐음…… 하지만 이것만으로는 찾기 어려운데."

"아직은 그렇죠. 마지막으로 빨간 가루를 뿌립니다."

빨간 점은 파란색과도 노란색과도 겹치지 않고 산맥이나 지하 동굴 등의 험한 곳을 가리켰다.

"이건?"

"실라 씨의 거점일 가능성이 있는 장소임다."

"……너무 많지 않아?"

에쿠가 거론한다는 것은 아무리 '가능성'이라고 해도 믿을만한 정보일 것이다.

하지만 그렇다고 해도 열 곳이 넘는 후보가 있었다.

게다가 그 모든 후보는 위험한 영역에 있었다.

만약 모든 곳을 찾는다면 쿠에나가 부담해야 하는 노력은 끝이 없을 것이다.

그것에 대해서는 에쿠도 수긍했다.

"이야, 정말로요. 그래도 정보에 따르면 실라 씨는 전이를 쓰니까요. 그러니 거점의 위치를 이만큼 좁힌 것만으로도 칭찬해줬으면 함다."

"……."

쿠에나가 팔짱을 끼고 고개를 갸웃했다.

지금까지의 경험을 전부 동원해서 생각했다.

(거점 방위만을 생각한다면 함정을 설치할 수 있는 지하 동굴

이 좋지만…… 전이로 소비되는 마력을 생각하면 신성공화국에서 그리 거리를 두진 않을 거야……. 애초에 거점을 만드는 데 시간을 들일 수 없을 거고.)

문득 자신이 깊은 생각에 잠겼다는 것을 깨달았다.

그리고 에쿠에게,

"이 지도, 가져가도 되지?"

그렇게 물었다.

곰곰이 생각한다면 상황에 맞지 않는 요구일 것이다.

조용한 곳이긴 하지만, 이곳은 에쿠가 장사하기 위한 장소니까.

"네, 가져가세요."

이미 공개한 이상, 그건 이미 에쿠의 손에서 벗어나 퍼질 가능성이 있는 정보다. 그러니 지도 정도라면 가져가도 문제없다. 쿠에나가 독점한 정보라면 더더욱 그랬다.

에쿠가 경쾌하게 승낙한 것을 확인하자 쿠에나가 지도를 가지고 나갔다.

"고마워. 또 올게."

"예~이, 또 오세요~."

에쿠의 목소리를 등 너머로 들으며 쿠에나는 방에서 나왔다.

◇

웨이라 제국.

제국 수도의 중심부.

그곳에는 여제가 사는 거성이 있다.

"——흐~음. 결국 실라가 폭주한 이유는 모르는 건가."

호화롭게 장식된 방.

먼지 한 톨 없이 청결하게 정리된 방에는 세 사람의 모습이 있었다.

한 명은 여제 루이나.

거장이 만든 루이나 전용 소파에 다리를 꼬고 앉아있었다.

그 뒤에서는 최측근인 유이가 루이나의 호위를 담당하고 있었다.

그리고 그런 둘과 마주하는 사람은 한 소녀였다.

"옙. 무엇도 캐묻지 말라는 느낌임다."

"넌 믿고 있는데?"

"역량이 부족해 죄송함다."

"됐다. 쿠에나도 다른 정보상을 아는데 가장 먼저 찾아간 사람이 너였으니. 쿠에나가 가장 믿고 있는 건 너라는 뜻이지."

루이나의 말을 곧이곧대로 받아들인다면.

(이 외에도 입김이 닿은 녀석이 있다는 뜻이군요.)

그런 뜻이 된다.

온화하진 않지만, 거스른다고 해도 어떻게 할 수 없는 상대인 것은 잘 알고 있었다.

"전부 웨이라 제국의 정보망을 빌리고 있는 덕분이죠."

에쿠는 정식 군무원이 아니다.

어디까지나 루이나의 사병 같은 부류다.

예전에는 유이도 그랬다.

"그걸 차치하더라도 우수해."

"나하하, 감삼다. 유이 씨의 뒤를 잇고 싶지만, 음지에서 활동하는 부대가 되기에는 전투력이 전혀 없어서요. 이 정도 일은 해야지요."

"……."

칭찬을 받아도 유이는 미동도 하지 않았다.

마치 인형이나 시체 같았다.

철저하게 지워진 존재감은 공포마저 불러일으킬 정도였다.

"겸손 떨지 마라. 황실에서 의무적으로 전투를 배운 나보다는 더 강하겠지."

"뭐, 혼자 먹고살 정도지만요."

정보상은 위험한 직업이다.

정보를 얻은 후에는 쓸모가 없고, 정보가 누설될 위험을 배제하는 편이 좋기 때문이다.

갑자기 습격당할 때도 많다.

물론 위험한 만큼 대가도 크지만.

"아아, 그리고 올해 몫이었지. 준비시켜둘 테니 돌아갈 때 받아가라."

"감사함다. 웨이라 제국은 돈을 많이 줘서 몸이 떨린단 말이죠."

에쿠가 나하하 하고 웃으면서 말했다.

실제로 루이나가 에쿠에게 주고 있는 금액은 그리 가벼운 금액이 아니었다.

에쿠의 1년 치 포상금만으로 열 가구의 가족을 평생 부양할 수 있을 정도였다.

아직 젊은 에쿠가 그만큼 돈을 벌어들일 수단은 이 장사 외에는 없었을지도 모른다.

"그러고 보니, 조합이나 은행을 경유해도 좋을 텐데 굳이 직접 받기로 한 이유는 뭔가?"

"아무래도 숫자만 있으면 불안하단 말이죠."

"홋, 그렇군. 신중하구나."

"뭐, 그렇기도 하지만요. 정보라는 불확실한 것으로 장사를 하고 있으니, 주변에 있는 것 정도는 확실한 것이길 바라는 것이죠."

"흠, 재밌구나."

맡겨두는 편이 안전하고 이송도 훨씬 편하다는 것은 알고 있다. 하지만 그건 에쿠의 바꾸고 싶지 않은 신념이기도 했다.

"저도 한 가지 물어보고 싶은 것이 있는데, 괜찮습까?"

"정보라면 돈을 받을 것인데?"

"윽……."

에쿠가 노골적으로 괴로워하는 표정을 지었다.

"크큭, 농담이다."

"그거 다행임다……."

루이나는 일련의 '연극'을 해준 에쿠를 보고 만족스럽게 웃었다.

"그래서, 묻고 싶은 것이 뭐냐?"

"예이. 왜 쿠에나 씨를 지키는 겁니까?"

에쿠는 이전부터 루이나가 쿠에나를 염려하는 이유를 몰랐다.

우수한 정보상은 그 사실만으로도 소중히 여겨진다.

그런 만큼 남에게 빌려주는 행위는 이익에 반하는 행동일 것이다.

에쿠는 쿠에나가 루이나에게 예사롭지 않은 적의를 품고 있다는 것을 알고 있다고 생각하고 있었다.

하지만 루이나는 시원스럽게 대답했다.

"그저 제위 찬탈을 꿈꾸는 성가신 녀석들이 나오는 걸 막는 것뿐이다."

그 대답은 지극히 단순하면서 성가신 권력 사회의 내막을 비추고 있었다.

이제 황족의 피를 가진 자는 거의 남아있지 않고, 그중에서도 계승권이 있던 자는 쿠에나뿐이다.

즉 쿠에나는 웨이라 제국이 반으로 갈라지는 씨앗이 될 수도 있다.

"음~, 그래도 저 이전에도 정보상을 보냈죠. 쿠에나 씨를 제거하면 되는 일 아닙니까?"

에쿠는 어디까지나 냉담했다.

쿠에나가 싫은 것도 아니고, 적대관계가 되는 게 아니라면 무사하기를 바랐다.

하지만 루이나의 이야기를 정리한 결과, 쿠에나의 생존을 허용하는 것은 좋은 계책이 아니라고 지적했다.

"어이 어이, 힐문하지 마라."

루이나는 불쾌감을 드러냈다.

이에 에쿠는 순순히 머리를 숙였다.

"죄송함다. 하지만 방해꾼은 배제하는 게 가장 확실하지 않슴까. 권력 투쟁에서 자주 하셨던 일이 아님까?"

에쿠의 범상치 않은 경계심이 유이의 살의를 감지했다.

너무 파고들었다고 살짝 후회했지만, 이렇기에 정보상으로서 대성한 것이기도 했다.

"그야 분란의 싹은 배제하는 편이 좋지. 그런데……."

루이나가 천장을 올려다봤다.

마치 먼 과거를 보는 듯이.

"그 녀석은 나와 닮았다. 정말로 죽었는지 확인한다면 얼굴을 봐야겠지? 그건 기분 나쁘지 않겠나? 그래서 산 채로 보호하는 거야."

"그렇군요."

루이나는 날 때부터 '여제'였다.

제멋대로 세계가 자기 것인 양 행동한다.

에쿠에게 있어서 사람의 목숨을 좌우하는 판단 재료가 권력투쟁과 자신의 기분뿐이라는 것에 위화감은 느꼈지만, 루이나가 자신의 기분을 가장 소중히 여기는 모습은 전혀 어색하지 않았다.

◇

빛이 닿지 않는 동굴.

깊이 숨은, 고랭크 마물이 꿈틀거리는 곳.

자연의 요새라 불러도 손색이 없는 곳이었다.

게다가 인위적인 함정을 무수히 설치하여 공략이 어려웠다.

최종 도착점에는 동굴과는 어울리지 않는 인공적인 방이 설치되어 있었다.

그곳에는 옷장과 의자, 책상, 침대 등이 있었다.

분명한 생활감이 있었다.

위험한 동굴 속에 있는 것을 제외하면, 부자연스러운 점은 하나밖에 없었다.

침대 위에서 파란 머리 소녀가 누워있었다.

그저 잠든 것뿐이면 인간의 생리 현상일 테지만, 그 소녀가 잠든 뒤로 태양은 몇 번이나 지평선을 오르내렸다.

"……잘 자는 것 같네."

실라의 몸을 가진 네림이 전이로 거점에 돌아왔다.

자신의 몸을 바라보는데도 위화감을 느끼지 않았다.

"어머, 어서 와."

"응, 다녀왔습니다……── 그게 아니지! 왜 여기에!"

예상치 못한 손님이 찾아와서 자기도 모르게 가식 없는 대답을 해버렸지만, 금방 제정신을 차린 네림이 도둑고양이 같은 경계심을 보였다.

방구석에서 등을 기대고 있던 사람은 쿠에나였다.

"나도 일단 A랭크에서 톱클래스에 들어가는 모험가야. 여기에 못 올 줄 알았어?"

"……그럼 왜 그녀를 데리고 돌아가지 않았지?"

네림이 잠든 파란 머리 소녀를 봤다.

"시간이 없었으니까. 네가 전이했다고 연락이 왔어."

쿠에나가 길드 카드를 보여줬다.

거기에는 지드와 한 대화가 표시되어 있었다.

"그렇구나. 잘도 여길 알아냈네. 금방 거점을 옮길 생각이었는데."

"어디로? 아티미아의 산?"

"틀렸어. 한 번도 가본 적 없는, 너는 모르는 곳이야. 하지만 대단하네. 거기에도 내 거점이 있다는 걸 알고 있었구나?"

"거점 대부분은 이미 파악했어. 여기에 온 건 지드의 힌트가 있어서고. 그리고 나머지는 내 직감."

"그런 운이나 본능도 실력이라고들 하지. 훌륭해. 그래서 아까워."

"아까워?"

"그런 변태한테는 아깝다고 한 거야."

네림이 양 가슴에 손을 대고 요염한 웃음을 지으면서 쿠에나를 놀렸다. 그걸 알고 있어도 쿠에나는 얼굴을 빨갛게 물들이면서 전력으로 고개를 저었다.

"지, 지드는 상관없잖아!"

"딱히 지드 얘기를 한 건 아닌데?"

"~~~웃!"

쿠에나의 뇌리에 하고 싶은 말이 소용돌이쳤다.

하지만 수치심 탓에 말이 잘 나오지 않았다.

분한 마음에 눈가에 눈물이 맺혔다. 얼굴이 마치 분노에 휩쓸린 아이처럼 되어있었다.

"후후, 살짝 장난친 건데. 하지만 잘못한 건 너희야. 내가 씩어 있는 동안 계~속 실라랑 이야기꽃을 피웠잖아. 나도 듣고 있었는데."

"으~~~~!!"

쿠에나가 부주의로 일어난 일이라 아무 반박도 할 수 없었다. 자기도 모르게 눈을 감고 발을 동동 굴렀다.

그 순간, 네림의 기척이 날카로워졌다.

"──빈틈투성이야."

"그럴 리가 없잖아!"

네림의 칼끝을 쿠에나의 일격이 막았다.

그뿐만이 아니다.

반격도 훌륭했다.

모범이라 할 수 있을 정도로 완벽한 대처였다.

하지만 서로를 칭찬할 여유는 없다.

네림이 가볍게 쿠에나의 참격을 피해냈다.

자신이 공세로 전환할 기회를 엿보고 있었다.

하지만.

(——반격할 틈이 없어……!)

쿠에나의 칼솜씨는 지극히 매서웠다.

네림의 차례는 오지 않았다.

(소질이 있는 몸이지만, 이 상태로는 어려워. 검술만이라면.)

냉기가 온몸을 감쌌다.

급격한 온도 저하에 쿠에나의 몸이 떨렸다.

"뭣?!"

"'빙화'."

쿠에나의 발치에 꽃이 폈다.

주먹 정도의 크기다.

무수히 번식하여 개화하고 있다.

특색은 얼음으로 만들어져 있다는 점일 것이다.

그 꽃이 덮쳐왔다.

당연히 딱딱하고 날카롭다.

방의 가구와 벽이 마법으로 인해 깎여나갔다.

"——'열염'!"

실내 온도가 올랐다.

쿠에나의 불꽃을 두른 검이 꽃을 마구 흩뜨렸다.

하지만 그건 네림이 태세를 바로 잡기에 충분한 시간이었다.

"후우~…… 너, 싸우면 이렇게 강하구나."

"어머나. 그 사상 최고라고 칭송까지 받은 검성 네림에게 칭찬받으니까 부끄럽네."

쿠에나가 농담하면서 거리를 쟀다.

네림과 자신 사이의 거리다.

하지만 예상과는 달리 네림은 반응을 보였다.

눈을 크게 뜨고 방심했다고도 할 수 있을 정도로 힘이 빠진 모습을 보여줬다.

"내가 네림이라는 걸…… 어떻게 아는 거야?"

"리프한테 들었는데?"

네림의 적의가 커졌다.

"이 사실을 아는 자는 또 누가 있지?"

"리프랑 나, 그리고 지드. 그게 다야. 발설하지 말라고 어찌나 못을 박던지. 근데 내 말을 믿는 거야?"

"믿어. 왜냐하면 넌 방심하고 있으니까. 그런 사람은 대체로 입이 가벼워지고 사실을 쉽게 말하지."

"아, 그래."

확실히 쿠에나는 자신감이 있었다.

만약 네림의 본체와 정면 대결이었다면 퇴각을 생각했을 것이다.

하지만 지금 네림은 대체 마법을 행사해서 실라의 몸을 쓰고 있는 불안정한 상태다.

무엇보다 이유는 확실하지 않지만, 네림은 어째서인지 자신의 몸으로 돌아가려 하지 않았다. 쿠에나가 자신의 승리를 의심하지 않는 건 전혀 부자연스러운 일이 아니었다.

"──근데 그 여유도 언제까지 이어질까. 조건이 동등하면 어떨까?"

네림이 손을 뻗었다.

꺼림칙한 마력이 주위를 삼켜갔다.

침체되어 가는 분위기에 쿠에나의 기가 꺾였다.

"나랑 몸을 바꾸려고?"

"그렇게 하면 같은 처지잖아?"

"……그건 그렇네."

그렇게 되면 다른 사람의 몸을 다루는 것에 익숙해져 있는 네림이 더 유리하다. 그건 자명하다.

하지만 일은 네림의 생각대로 흘러가지 않았다.

"앗!"

네림의 마력이 흩어져 사라졌다. 대체 마법도 실패했다.

쿠에나가 의기양양한 얼굴로 허리에 손을 댔다.

"어설펐네."

"이걸 강제로 막다니…… 너도 대체 마법을 쓸 수 있어? 그런 실력으로는 안 보였는데."

"바보구나. 그렇게까지 마법을 쓸 수 있었으면 그쪽 분야를 단련했을 거야."

"그럼 어째서……!"

"새 마법을 배웠어. 대체 마법을 지울만한 마법을."

"그런 마법이 있다니……! 이렇게까지 고등한 대응 마법…… 그 리프라는 녀석의 잔꾀구나?!"

"아니. 네가 실력만큼은 높이 사고 있는 남자야."

검은 머리를 가진 남자가 네림의 뇌리를 스쳐 지나갔다.

"지드……! 하지만 어떻게! 그런 마법을 알고 있었단 말이야?!"

"널 분담해서 찾기 전에 '어쩌면 대체 마법을 쓸지도 모른다'라면서 가르쳐줬어. 그 녀석, 순식간에 응용법을 몇 개나 생각해냈다고 말했어."

"……정말 전투능력만 보면 대단해. 나도 본 적이 없는 천재구나."

그건 강자에게 알랑거리는 것도 아니고 분하게 여기는 것도 아닌, 무인으로서 진심으로 칭찬하는 것이었다.

쿠에나는 자기 일처럼 기뻤지만, 딱 한 가지가 마음에 안 들었다.

"딱히 전투능력'만' 뛰어난 건 아니라 생각하는데."

"반한 사람에게 눈이 멀기 쉬운 사람의 전형이구나."

"그렇게 생각해?"

"물론."

"그럼 네 눈은 장식인가 보네. 실라한테 지겹도록 지드의 좋은 점에 대해 들었을 텐데."

"그래서야!"

네림이 언성을 높였다.

쿠에나의 지적이 마음에 안 들었던 모양이다.

"매일 밤 매일 밤…… 사고까지 동조되어 있으니까 그렇게 시끄러울 수가 없어! 순진하고 착한 아이인데! 지드 얘기만 나오면 내가 이상해질 정도로 이야기하고 생각하고! 수백 년이나 사검이 되어서 숲속에서 같은 광경을 계속 봐도 제정신을 유지한 내가 미칠 뻔했다고!"

"아~."

네림이 지드를 싫어하는 원인의 일부분이 엿보여 쿠에나 역시 동정을 금할 수 없었다.

갑자기 네림이 원래대로 돌아왔다.

"무엇보다, 그 녀석의 여유가 싫어."

마음속 깊은 곳에서 토해낸 진흙과 같은 목소리였다.

네림은 쿠에나의 대답을 기다리지 않고 계속 말했다.

"그 전투력을 봐. 적 같은 건 없겠지. 설령 어떤 시대에 태어나도 영웅이 될 수 있었을 거야. 사람들 위에 군림할 수 있었을 테지. 하지만, 그런데도 평범한 상냥함을 지니고 있어. 일부러 불쾌감을 주려는 것처럼."

얼굴을 찌푸렸다.

네림의 눈동자는 어딘가 다른 곳을 보고 있는 듯했다.

"너무 지나치게 생각하는 거야."

"글쎄 어떨까. 실라는 그 녀석에게 구원받았어. 너도 지드에게 은혜를 느끼는 부분이 있을 거야. 하지만 그런 건 환상에 불과해. 지드 자신조차 알아차리지 못한 자기 마음속에 있는 기만이지."

"지드의 상냥함이 거짓이라고 말하고 싶은 거야?"

"본질적으로는 마찬가지라는 거다."

쿠에나는 자기도 모르게 실소했다.

"그 손이 어떤 의도에 얼룩져 있다고 하더라도 손을 내밀어주면 그건 구원이야. 적어도 구원받은 당사자에게는 진짜 상냥함이지."

"허울 좋은 소리군. 그야말로 어리석은 이상이야. ……과연 배신당했을 때도 똑같은 말을 할 수 있을까?"

쿠에나가 반론을 하려고 입을 열려고 했다.

그 순간.

방 전체에 여러 개의 마법진이 나타났다.

쿠에나는 모르는 마법진이었다. 즉 네림이 준비한 함정이었다.

"──전장에서 오랜 시간 이야기하는 건 피해야 해. 더구나 자신이 유리하다면 말이지."

"빈정대는 것 치곤 상냥한 설명인걸?"

"진심으로 하는 조언이니까."

거짓말이 아니었다.

네림은 쿠에나가 싫지 않았다.

가능하면 살았으면 한다, 그렇게 생각하고 있었다.

하지만 쿠에나는 조금 달랐다.

같은 감각을 공유하고 있었지만── 네림이 반드시 살기를 바랐다.

그 순간, 방에 있는 마법진이 싹 지워졌다.

"앗, 또?! 이것도 그 남자한테 배운 거야?!"

이것 역시 쿠에나가 모르는 마법이었다. 하지만 그녀는 당황한 기색도 없었다.

"좀 늦은 거 아냐?"

"미안. 그래도 시간은 맞췄지?"

쿠에나가 안도하는 웃음을 지으며 고개를 끄덕였다.

네림의 날카로운 시선이 새로운 방문자에게 향했다.

"지드⋯⋯!"

"아무래도 아직 원래대로 돌아오지는 않은 것 같네."

지드가 방을 가볍게 둘러봤다.

그리고 파란 머리 소녀가 누워있는 것을 알아차렸다.

"너라면 알겠지? 그녀가 누구인지."

"네 몸이겠지. 하지만 마력은 실라로군."

"그래, 정답."

네림이 어깨를 으쓱였다.

완전히 힘이 빠진 모습으로 사검을 내던졌다.

"항복인가?"

"지금의 나로서는 상대가 안 돼. 그 정도는 잘 알고 있어."

"⋯⋯흠."

지드가 봤다.

전이할 기미도, 함정일 것 같은 느낌도 없었다.

"그렇게 경계하지 마. 중요한 이야기가 있으니까."

"중요한 이야기?"

"그래, 너에게도, 그녀에게도──."

"──음냐음냐⋯⋯ 어라, 여긴⋯⋯ 어디지?"

그때, 실라가 잠에서 깼다.

"안녕, 실라."

"어라, 나?!"

"난 네림. 사검이야."

"으음~? 왠지 리프가 그런 말을 했던 것도 같은데⋯⋯. 아!
지드!"

네림의 말에 미간을 찌푸렸지만, 기억을 더듬는 것보다 먼저
지드의 모습이 눈에 들어왔다.

그리고 달려들어 꼭 안았다.

"어, 어이."

"잠깐! 내 몸으로 무슨 짓을⋯⋯!"

"오랜만에 지드 성분 흡수~!"

실라가 활짝 웃으며 숨을 들이쉬었다.

"——실라……?"

갑자기 지드의 표정이 어두워졌다.

"왜, 왜 그래?"

"너…… 뭐야, 그거? 마법이야?"

"뭐야 뭐야?"

실라의 기억에는 없는 일이었다. 그도 그럴 게 잠에서 막 깼으니 뭔가를 하고 있었을 리가 없다.

그때 네림이 비통한 얼굴로 입을 열었다.

"중요한 이야기가 있다. 지드, 네가 이 방에 들어왔을 때, 마법을 지웠지."

"그래, 전이로 도망치려 했으니까."

"그 여파로 실라의…… 아니, 정확하게는 내 몸에 걸려있던 마법이 발동됐어. 절대적인 '죽음의 저주'가."

""뭐……!""

"어, 뭐야 뭐야? 무슨 말이야?"

지드와 쿠에나가 경악했다.

당사자인 실라는 상황을 파악하지 못하는 것 같았다.

실라에게 설명하는 것보다 먼저 지드가 마력을 부딪쳤다.

실라 입장에서는 산들바람이 불어온 정도의 느낌이었을 것이다.

하지만 그 순간에도 지드의 방대한 마력이 몸을 감싸고 있었다.

"……상쇄할 수 없어? 어째서?"

"그건 '아스테라의 추종자'에게 전해지는 오래된 마법 중에서도 최고급 마법. 네가 아무리 뛰어나도 전부 해석하려면 시간이 걸리겠지. 분명 때를 맞출 수 없을 거야."

"네가 건 마법이 아니냐?"

"아니야. 난 걸린 쪽이야. 그 저주에서 몸을 지키기 위해 사검이 되었던 거다. 죽음의 저주는 산 자에게만 통해── 즉, 대상이 생명 활동을 하고 있지 않으면 저주는 발동하지 않아. 그래서 난 사검으로 모습을 바꿔서 유구한 시간을 보냈고, 인간의 모습으로 돌아온 뒤부터는 대체 마법으로 실라와 정신을 교체해서 내 몸은 가사 상태로 만들어뒀어. 애초에 실라에게 씐 이유도 그녀를 이용해서 현대의 식견을 익혀서 나에게 걸린 저주를 풀기 위해서였는데…… 저주를 푸는 방법은 찾지 못했어."

"그럼 한 번 더 실라를 가사 상태로 만드는 마법을 걸 수 없어?"

"아까 네가 마법을 상쇄한 뒤부터 급격하게 몸을 좀먹기 시작했어. 이 단계까지 왔으면 나로서는 어떻게 할 수 없어."

"…….'

지드의 눈이 급격하게 움직였다.

그 마법을 이해하기 위해 머리가 전에 없을 정도로 회전하고 있었다.

"어, 뭐야? 어떻게 된 거야?"

실라가 소외감과 약간의 위기감을 느끼면서 네림과 지드, 쿠에나를 봤다.

"미안해. 널 말려들게 했지만, 무사히 돌려보내고 싶었어. 서둘러 아스테라의 거점을 덮쳐서 문헌을 뒤져봤지만, 이 마법을 풀기 위한 문헌을 찾지는 못했어.”

“저기…….”

실라가 살짝 손을 들었다.

질문이 있는 듯했다.

“왜 그러니……?”

네림이 부드러운 목소리로 말했다.

“내 얼굴로 말하는 걸 들어도 위화감밖에 안 느껴져.”

어딘가 해탈한 듯한 미소였다.

그 장난스러운 표현에는 어렴풋한 체념이 포함되어 있었다.

그래서 순간적으로 장난스럽게 행동해 보인 것이다.

그건 깊이 비통해하는 네림을 배려해서였다.

그녀의 상냥한 마음씨가 살짝 엿보였다.

“후후, 그렇네.”

그래서 네림도 웃어준 실라에게 웃으면서 고개를 끄덕이며 대답했다.

자신의 몸을 어떻게 할 방법이 없다는 것쯤은 수백 년도 전부터 알고 있었다.

하지만 앞의 둘과는 달리 지드는 눈의 초점을 맞췄다.

“네림, 이리로 와.”

“……뭐야? 혹시 대체 마법을 쓰려는 거야? 소용없어. 죽음의 저주는 먼저 몸을 좀먹고, 다음으로 정신을 좀먹어. 저주는 이미

몸에서 정신으로 전이되고 있어. 대체 마법으로 실라와 내 정신을 바꿔도, 실라의 정신이 죽음의 운명에서 벗어날 수는——.”

목숨을 구하려는 것처럼도 들렸다.

하지만 죽는 것은 딱히 상관없다는 각오가 엿보였다.

하지만 지드에겐 그런 건 아무래도 좋았다.

“——빨리 와.”

지드의 진지한 표정에 네림은 순순히 다가갔다.

그리고 지드는 실라를 오른손으로, 네림을 왼손으로 쥐었다.

“……!”

네림이 움찔 하고 몸을 움직였다.

그리고 그 순간.

실라와 네림이 서로의 얼굴을 쳐다봤다.

“어, 어째서!”

“어라? 당신 누구야?”

금발 소녀—— 실라가 고개를 갸웃했다.

그 맞은편에서는 파란 머리카락의 소녀—— 네림이 경악한 빛으로 얼굴을 물들였다.

불가능하다고 했던 일이 눈앞에서 성공했다.

네림은 자기 몸에 있던 저주 마법이 사라졌다는 걸 깨달았다.

물론 실라도 아무 이상이 없었다.

이런 짧은 시간에 저주를 푸는 마법을 새로 만들어내는 것은 불가능하다.

한 가지 답이 네림의 뇌리를 스쳤다. 그녀의 시선이 지드에게 향했다.

"…………아아, 역시, 이렇게 응용할 수도 있구나…………."

지드는 천천히 자신의 몸을 바라보고 있었다.

"너, 너……."

네림은 그 이상의 말을 이어나갈 수 없었다.

말문이 막힌 것이다.

지금부터 그의 몸에 일어날 상황을 깨달아서.

모든 업을 이어받은 그에 대한 죄책감도 있어서.

"있잖아, 실라. 좋아해."

"흐엣?!"

"──그러니까 행복하게 살아줘."

지드의 얼굴에 검은 무늬가 비쳤다.

결국 마법의 진행이 누가 봐도 명백할 정도로 좀먹고 있었다.

(고동이 이렇게 빠르게 들리다니, 얼마나 오랜만인 걸까. 아아, 그렇구나. 죽는 건 역시 무섭구나.)

지드가 털썩 주저앉았다.

힘없이 고개를 푹 숙였다.

""지드!""

쿠에나와 실라가 지드의 손을 쥐었다.

(아아, 따뜻해…….)

확실한 감촉을 느끼고 떨면서 고개를 들었다.

둘의 얼굴을 보기 위해서.

──하지만 지드의 눈에는 암흑만이 비쳤다.

"어라…… 쿠에나……? 실라……? 어딨……어?"
"노, 농담하지 마! 너, 독 먹어도 멀쩡하잖아! 저주 같은 건……!"
쿠에나가 악몽에 시달리는 듯한 목소리로 말을 걸었다.

"정신에 전이된 저주라면 이론상으로는 대체 마법으로 교체하는 것도 가능……. 하지만 이론상으로 가능하다고 해서 될 리가…… 그리고! 아무리 너라도 짊어지기에는 부담이 너무 커. 이건…… 최강의 대 개인 특화형 마법이야. 유사 이전부터 존재하는 마법……."

네림이 말하다가 멈췄다.

그게 아무런 위로도 안 되고 자신의 지식을 과시할 뿐인 행동이라는 걸 깨달았기 때문이다.

"사검, 가르쳐줘! 지드 위험한 거지?! 뭔가 도와줄 방법은 없어?! 내…… 내 목숨으로는 안 돼?!"

만약 네림이 어떤 수단을 제안한다면, 실라는 한순간도 망설이지 않고 실행으로 옮길 것이다.

설령 그것이 정말로 자신의 목숨을 바치는 것이라 하더라도.

"있었으면…… 나도 했을 거야. 이 자기희생은 진짜라는 증거라고. 그는 너희를 사랑했어. 거짓이 아닌, 진짜 사랑이었어."

순수한 말이었다.

감탄이자, 경악이자, 존경이었다.

하지만 실라 속에서 샘솟은 감정은 그녀가 잘 느끼지 않는 분노였다.

"자기희생이 뭐야. 자기를 희생하지 않으면 진짜가 아냐? 난 그렇게 생각하지 않아. 만일 지드가 날 배신하는 날이 온다고 해도…… 난 믿었던 것을 후회하지 않아. 그만큼 인생을 바꿔줬어. 그만큼 상냥하게 대해줬어. 그만큼…… 함께 있어서 즐거웠으니까──."

아직 희미하게 남아있는 지드의 온기.

실라가 지드의 손을 쥐고 자신의 볼에 댔다.

"──그러니까, 괜찮아. 난 믿어. 지드는 이런 일로는 안 죽지……?"

실라의 눈물이 흘러 지드의 볼에 닿았다.

그 순간.

희미한 빛이 지드의 몸을 감쌌다.

맨 먼저 반응한 사람은 네림이었다.

"뭐지, 이건……?!"

그 당황은 '아스테라의 추종자'가 건 저주 이외의 무언가가 일어나고 있는 것을 나타냈다.

이윽고 빛은 침식하고 있던 마법을 제거했다.

"…………어라? 아무렇지도…… 않아?"

"지~~~~드~~~~!"

"으엇."

실라가 힘차게 안겼다.

감격에 찬 모습으로 평소에는 그런 실라의 행동을 꾸짖는 쿠에나도 눈가에 맺힌 눈물을 닦으면서 따뜻하게 지켜봤다.

"알고 있었어. 넌 죽지 않을 거라고. 이런 일로 죽을 녀석이 아니야!"

그 안도한 표정에서는 단정하는 듯한 말과는 반대로 마음속 깊은 곳에 있던 불안이 보였다 안 보였다 했다.

그리고 이 자리에서 이해가 안 된다는 표정을 지은 인물이 딱 한 명 있었다.

네림이다.

"어째서…… 이런 게 가능하지……? 저주에도 항체가 있는 건가……? 어떻게 지드가……? 어째서 지드만이……?"

네림이 중얼거렸다.

거기에는 가벼운 절망도 있었다.

네림은 확실히 봐왔다.

이 마법으로 죽어가는 동료들을.

그리고 이 마법을 건 배신자마저도──.

저주의 침식은 예전에 네림이 봐온 것과 같다. 틀림없는 죽음의 전조였을 것이다.

"──리프 녀석, 이런 거였구나."

지드가 품에서 매직 아이템을 꺼냈다.

아름답게 세공된, 보석과 착각할 만큼 정교한 물건이었는데, 어느새 역할을 마쳤다는 듯이 반으로 갈라져 있었다. 감돌던 마력도 이미 사라졌다.

이젠 정말로 쓸모없는 장식품에 불과했다.

내장된 마법 회로의 선명한 구조를 제외하면.

"설명해줘. 어떻게 된 거야……?"

네림이 고개를 숙였다.

표정은 보이지 않는다.

하지만 떨리는 목소리와 흘러 떨어지는 눈물을 보면 어떤 감정인지 자연스럽게 알 수 있을 것이다.

그런 모습을 보니, 사정을 모르는 세 사람도 말려들었다는 분노보다 동정하는 마음이 앞섰다.

"알고 싶으면 따라와. 우리랑 같이 리프에게 가자."

"……그래."

네림이 고개를 끄덕였다.

세 사람은 그런 그녀를 보고 침착함을 되찾았다.

"……이, 있잖아. 좀 가까울……지도."

지드가 실라에게 말했다.

"흐앗!"

지금까지 계속 안겨 있던 실라가 홱 떨어졌다.

그녀는 평소 적극적이지만, 막상 이럴 때는 수치심이 되살아나는 듯했다. 얼굴을 새빨갛게 물들이고 있었다.

두 사람 사이에는 거리감이 약간 생겨나 있었다.

쿠에나가 기가 막힌다는 듯이 한숨을 쉬었다.

"네림, 잠깐 실례할게. ……──실라, 너 뭔가 잊고 있지 않아?"

"이, 잊어……?"

"아까 지드가 너한테 무슨 말 안 했어?"

쿠에나가 실라의 기억을 일깨우려고 했다.

그건 '빨리 대답해'라며 재촉하는 것이었다.

"아니, 야. 나중에 들어도……!"

"──나도!"

실라가 소리쳤다.

어렵게 낸 작고 사랑스러운 목소리로.

"──나도 좋아해!"

그렇게 말하고 실라가 지드에게 입을 맞췄다.

서로에게 부드러운 감촉이 전해졌다.

시간으로 치면 1초도 안 되는 정도지만, 둘에게는 영원으로 느껴졌을 것이다.

격하게 고동쳤다.

떨어져 있어도 들릴 정도로.

"……난 대체 뭘 보고 있는 거지."

"그러니까 미리 사과했잖아."

옆에서 네림과 쿠에나가 대화했다.

네림은 그다지 보지 않도록 얼굴을 빨갛게 물들이고 시선을 돌리고 있었다.

반대로 쿠에나는 지드와 실라의 모습을 보면서 만족스럽게 고개를 끄덕이고 있었다.

그런 둘의 모습은 지드와 실라에게는 보이지 않았다.

◇

우린 리프에게 돌아가기 위해 긴 동굴을 걷고 있었다.

앞이 잘 보이지 않는 길이긴 하지만, 폭도 높이도 커서 쿠에나가 화염 계통 마법으로 비추고 있다.

쿠에나의 화염 마법으로도 녹지 않는 얼음이 동굴을 뒤덮고 있었다.

"내가 왔을 때는 이런 건 없었는데……."

"서두르고 있어서 전부 얼렸어. 마물한테 미안한 짓을 했어."

B랭크와 A랭크에 상당하는 정도의 강력한 마물이 얼어붙어 있었다.

감이 좋은 마물은 위험을 알아차렸는지 동결을 피하려고 도망치는 모습도 있었고, 무차별적으로 죽여 버린 것에 대한 죄악감이 부글부글 솟아올랐다.

하지만 이렇게라도 하지 않았으면 공격을 받았을 것이다.

"그런데 그 리프라는 자는 나에게 무슨 용무지?"

"글쎄."

네림의 질문에 고개를 갸웃했다.

그러자 눈을 가늘게 뜨고 째려봤다.

"너조차 모른다고? 수상한데. 지금이라도 도망쳐야 하나?"

"아니, 정말 몰라."

"흠~. 하지만 그 애는 '아스테라의 추종자'의 일원이잖아. 날 사검에서 해방했을 때 그렇게 말했는데."

"……그래?"

약간 놀랐다.

다시 말해서 네림에게 마법을 건 녀석들과 같은 조직 소속이란 의미다.

물론 시간이 한참 흐르긴 했지만.

아스테라교도 일시적으로 해산하고 명목상으로는 새로운 조직 이 되었다.

애초에 네림은 아주 먼 옛날 사람이었다고 하니, 조직을 바꾸 지 않고 유지하는 게 어렵지 않을까.

(그래도…… 네림이 보기에 우리는 수상함 만점이구나.)

하지만 난 리프를 믿어줬으면 한다.

그 녀석에게서 악의는 느껴지지 않는다.

내 생각에 이해를 나타낼 수 있는 부분도 있는지, 네림은 못마땅하다는 듯이 고개를 끄덕였다.

"하지만 저주를 푸는 아이템을 너에게 준 것도 그 사람이지? 내 시대에는 없었던 물건인데……. 처음부터 날 구해줄 생각이었던 건가?"

"그럼 리프의 목적은 네림을 숨기는 걸지도 모르겠네."

"그럴 수도."

네림이 고개를 끄덕였다.

갑자기 멀리서 태양 빛이 닿았다.

아무래도 동굴도 끝이 가까운 듯했다.

"난 숨기는 건 반대인데."

그렇게 말하는 건 쿠에나였다.

"왜? 사검이 불쌍하잖아. 그런 저주를 받은 몸이라면 지켜줘야지."

"너 말이야……. 넌 잠들어있어서 모르겠지만, 실라의 몸을 써서 아스테라 관련 시설을 습격했다고. 지금도 많은 사람이 널 찾고 있어. 네가 범인으로 알려져 있으니까."

"뭐라고……?!"

실라도 역시 자신이 놓인 처지를 이해한 듯했다.

아스테라에는 '범인'을 넘겨야 한다.

표면상으로는 실라였지만, 진범은 네림이다.

만약 네림을 보호한다면, 실라를 넘길 수밖에 없다.

반대로 실라의 무고를 증명하려면 네림을 넘겨야 한다.

그게 쿠에나의 주장이다.

나도 실라를 넘기는 것은 반대인데──.

동굴에서 나온 우리를 맞이한 것은 익숙한 얼굴뿐이었다.

"──오랜만입니다, 구세주님."

초록색 머리칼을 가진 어린 소녀가 예의 바르게 머리를 꾸벅 숙였다.

"그래, 오랜만이네. 스피."

지금 스피는 진·아스테라교 안에서도 절대적인 영향력을 자랑하고 있다. 어쩌면 내가 머리를 숙이지 않으면 안 될지도 모른다.

그런 스피 옆에는 마찬가지로 큰 영향력을 가진 소녀가 둘.

"지드 씨."

"지드……."

소리아와 필이다.

"안녕, 둘 다. 잘 지냈어?"

"네! 덕분에……! ……지드 씨도 건강하신 것 같아 다행이에요."

내 말을 듣고 기뻐하면서 반응했지만, 바로 엄숙한 얼굴로 돌아왔다.

그녀들 이외에도 사람이 있었다.

에이겔과 로이터였다.

"다들 여기 모여서 무슨 일이지?"

173

"알고 있지 않나. 네 뒤에 숨어있는 여자를 넘겨라."

로이터가 실라를 노려보면서 말했다.

내 등에서 들키지 않도록 숨어있던 실라가 움찔 떨었다.

"거절한다."

"즉답이군. 그럼 싸울 각오도 있는 거겠지?"

로이터가 대검을 뽑았다.

공기가 희박해진 것 같은 착각이 들 정도로 위압감을 느꼈다.

이 자가 길드에서 최강이라 불리는 남자인가.

이 압박감에 견디는 건 네림과 필 정도인가.

"잠깐만요, 여기서 이러지 마세요. 저랑 스피 씨는 비전투원이라고요."

에이겔이 난처한 듯이 옷깃을 펄럭펄럭 부치면서 말했다.

목이 조이는 듯한 착각이 엄습한 것이리라.

로이터가 발하는 압도적인 강자의 오라는 그만큼 무겁다.

"넌 적어도 이번 대의 '현자'이지 않나. ……스피 님, 안심하십시오. 전 무슨 일이 있어도 같은 편입니다."

에이겔이 현자……?

분명 현자는 대마법을 익힌 대륙 제일의 마법사가 선발될 터이다. 하지만 에이겔의 마력은 일반인과 똑같이 보였다.

그래도 뭐. 대충 예상은 하고 있었다.

그는 매직 아이템이 주력 수단인 것이다.

몸 여기저기서 변칙적인 마력이 감돌았다.

분명 매직 아이템에서 흘러나오는 마력일 것이다.

"잠깐 기다려주세요. 전 구세주님과 싸울 생각은 없습니다. 분명 소리아 님과 필 님도 같은 마음일 것입니다."

소리아와 필도 부정하지 않았다.

그리고 옆에서 에이겔이 살짝 손을 들었다.

"아, 저도요. 개인적으로 호감이 있어서요."

"⋯⋯으."

갑자기 고립된 로이터의 말문이 막혔다.

뭐, 로이터 외에는 지인들뿐이니까.

에이겔에 관해서도, 그의 아버지와는 사이가 좋다⋯⋯ 고 말하면 조금 부끄럽지만, 난 멋대로 그렇게 생각하고 있다.

"구세주님, 전 무리한 요구를 해서 여기까지 데려가 달라고 했어요. 당신과 이야기하기 위해서."

스피가 양손을 모으고 마치 신에게 매달리듯이 애원했다.

"실라 씨는 진·아스테라교에 예사롭지 않은 피해를 줬습니다. 더 멋대로 하게 둘 순 없습니다. 신자와 신부, 수녀들 사이에서 불안이 퍼지고 있어요."

"그래서 실라를 넘기라고?"

"어떤 사정이 있어도 신병을 구속해야만 해요. 실라 씨의 안전은 제가 보장하겠습니다. 저 같은 아이가 말해도 믿을 수 없을지도 모르겠지만⋯⋯."

"아니, 스피는 믿을 수 있어."

"그럼……."

"그래도 실라는 넘길 수 없어."

실라와 네림을 데리고 이렇게 스피 일행과 이야기하는 것 자체가 리프의 의뢰에 반하는 일이라는 것은 알고 있다.

하지만 스피 일행은 진지하게 대응해주려 하고 있다.

이에 응하지 않으면 앞으로 일이 더 꼬일지도 모른다.

"지드 씨…… 전 반드시 지드 씨에게 협력하겠습니다……!"

"저와 근위기사단은 소리아 님의 의향에 따르겠습니다."

내가 양보하지 않는 모습을 보고 뭔가 헤아렸을 것이다. 소리아와 필이 호흡을 맞춰 이해를 표명했다.

그리고 에이겔도 고개를 끄덕였다.

"저도 그쪽에 한 표 주는 걸로. 다수결이라면 저희는 일단 해산해야겠죠."

"평화적으로 해결을 기대할 수 있다면, 말이지."

로이터가 덧붙였다.

하지만 갑자기 공격하지는 않았다.

언제 어떤 상황에 험한 일이 벌어져도 문제없다고 생각하는 것 같았다.

무엇보다 선택과 결단은 스피에게 맡기고 있을 것이다. 마지막 확인을 하는 듯이 스피 쪽을 보고 있었다.

스피의 시선이 나를 포착했다.

그리고 다음에 만나면 돌려주려고 가지고 다니던 성검을 발견

한 것 같았다.

"──조건이 있습니다."

스피가 괴로운 얼굴로 이어서 말했다.

"용사가 되어주세요, 구세주님."

"⋯⋯."

실라를 위해 바로 대답하고 싶었다.

하지만 단념했다.

그렇게 쉽게 정해도 되는 일이 아니다.

"실라 씨의 죄는 커요. 쉽게 해결할 수 있는 일이 아니에요. 그렇게 되면 사람들의 눈을 속이기 위한 이유가 필요해요."

"그래서 내가 용사가 되면 된다는 건가? 거절했다가 받아들였다가⋯⋯ 분명 난 미움 받는 사람이 되겠지."

"안심하세요. 이야기를 준비하면 평가가 달라질 수도 있어요. 예를 들면, 이번에 폭주한 정령들이 신성공화국을 덮쳤습니다. 그걸 막은 사람은 구세주님이에요. 그때 다시금 사람을 구하는 의의를 찾아 용사가 된다⋯⋯ 이러면 지지를 얻기 쉬워질 거예요."

그리고, 라며 스피가 이어서 말했다.

"범인이 실라 씨라는 걸 아는 사람은 적어요. 지금까지의 일은 폭주한 정령이 원흉이라는 것으로 치고, 우연히 아스테라 관련 시설이 공격당했다는 것으로 하겠습니다. 실라 씨를 목격한 사람에겐 조종당한 인간이 있었다는 것으로 하겠습니다. 대부분 국가 조직에 소속된 공인이거나 진·아스테라교 관계자이니 철저히 일러두는 건 쉬울 겁니다. 조종당한 것이라면 죄는 없죠."

무섭기까지 한 계획 능력이다.

별것 아닌 생각 같긴 하지만, 아마 그 생각을 이 자리에서 순식간에 고안해냈을 것이다.

아니면 이렇게 될 것을 예상하고 여러 패턴을 생각한 것일지도 모른다.

그리고 무엇보다 실행하는 것은 스피 본인이다.

그 말은 곧, 그녀가 실행할 수 있는 범위 안의 제안이라는 것이다.

아마 오늘이라도 움직일 수 있을 것이다.

내 앞에 설 사람은 루이나인가, 리프인가. 젊은데 그녀들을 방불케 하니 장래가 두렵다.

"하지만 문제가 있어. 정령을 막은 건 내가 아니야. 거대한 폭발이 일어났어."

"아, 그건 제가 한 겁니다."

에이겔이 빨간 수정을 꺼냈다.

엄지손가락 첫마디까지 올 정도로 작다.

"그 매직 아이템으로 폭발을 일으켰어?"

"네. 시험 단계라서 저 외에는 가지고 있지 않지만요. 저로서는 실전에서의 결과를 본 것만으로도 만족이니 전과 정도는 양도하죠. 문제없습니다."

에이겔이 양손으로 브이 사인을 만들고 입꼬리를 올렸다.

"구세주님, 어떻게 하실 건가요. 이제 당신이 하기에 달려있습니다."

"어떻게 할 거냐니——."

평범하게 생각하면 용사가 되는 것 이외의 선택지는 보이지 않는다.

하지만 내가 대답하는 것보다 먼저 소리아가 심각한 얼굴로 말했다.

"——스피 씨와 로이터 씨는 길드를 그만뒀어요. 저도 예전에 '성녀가 된다면 길드에서 빠져달라'는 말을 들었어요."

그건 협박과 같은 조언이었다.

"나도 길드를…… 억지로 그만두게 되는 건가?"

"아니, 어디까지나 개인의 판단이겠지. 용사 파티의 일을 완수하기 위해, 잡념을 가지는 일이 없도록 하기 위한 제안이다. 리프 공은 잘 생각하고 있군."

내가 용사가 될 가능성이 생기자 로이터의 태도가 부드러워졌다. 대검도 어느샌가 칼집에 들어가 있었다.

"안심하세요, 구세주님. 길드를 그만두신다면 신성공화국에서 최고위 기사의 칭호를 준비하겠습니다. 그리고 진·아스테라교의 사제도 겸할 수 있습니다."

스피가 해맑게 웃으며 말했다.

"잠깐 잠깐. 내가 길드를 그만둔다는 이야기로 흘러가고 있는데, 그건 딱히 강제가 아니지? 그럼 난 딱히 그만둘 생각은 없어."

"강제는 아닌 것 같지만⋯⋯."

소리아가 말을 애매하게 했다.

반강제적인 걸까. 굳이 말을 하려고 할 정도였으니, 분명 그만한 분위기가 흘렀던 것이다.

하지만.

"어쨌든, 나에겐 용사가 되는 것 이외의 선택은 없는 것 아냐?"

"⋯⋯죄송합니다. 힘이 모자라서."

소리아가 미안한 듯이 고개를 떨궜다.

"아냐, 고마워. 싸우지 않아서."

그리고 뒤에 있는 실라가 내 옷자락을 쥐고 쭈뼛거리면서 얼굴을 들여다봤다.

"나 때문에 귀찮아져서 미안해⋯⋯ 만약 싫으면 용사 같은 건 거절해도 되는데⋯⋯?"

"신경 안 써도 돼. 너를 누군가에게 뺏기는 게 더 싫어."

"으으⋯⋯."

그리고 리프와의 약속도 있다.

이미 네림의 모습이 포착된 이상 완전히 숨기는 것은 불가능하다.

하지만 아직 무사히 데려가는 것은 가능하다.

"──스피. 다시 용사가 될게. 절조 없지만."

"아뇨! 그 말을 들은 것만으로도 기뻐요!"

스피의 만족스러운 표정이 인상적이었다.

그리고 무엇보다 적의를 드러내던 로이터의 분위기가 확 변해 온화해진 것도.

◇

길드로 돌아왔다.

깊숙이 씌워뒀던 후드를 벗고 실라와 네림이 리프와 마주 보고 있었다.

"이번엔 도망치지 않는구나?"

리프가 장난스럽게 웃었다.

이에 네림이 입꼬리를 비틀며 대답했다.

"그때는 적인 줄 알았으니까. '아스테라의 추종자'라고 하면 어쩔 수 없지."

"이 몸도 말을 잘못 했군."

캇캇카, 하고 리프가 웃었다.

"잠깐 괜찮아?"

"오오, 지드여. 수고했다. 왜 그러나? 포상이라면 얼마든지 주겠네."

"실은 네림과 실라를 데려오는 도중에 스피와 로이터 일행과 만나고 말았어. 비밀리에 수행하라는 조건이 있었는데…… 미안해."

"흠. 좀 귀찮지만, 이쪽에서 어떻게든 하지."

턱에 손을 대고 생각에 잠긴 자세를 보였다.

겉보기에는 작은 아이가 필사적으로 생각하는 모습으로 보여서 마음이 훈훈해질 것 같지만, 그럴 때가 아니다.

내가 하고 싶은 말인 이뿐만이 아니었다.

"할 얘기는 이뿐만이 아니야. 스피 일행을 납득시키기 위해 용사가 되라는 이야기를 받아들였어."

"……그런가."

리프의 눈이 한순간 크게 뜨였다.

그리고 평소대로 돌아왔다.

그녀의 가면이 벗겨져 원래 얼굴이 엿보일 정도의 이야기였을 것이다. 하지만 그렇다고 눈치채지 못하도록 하기 위해 숨긴 것이다.

분명 그다지 볼 수 없는 표정이었을지도 모른다.

"지드여. 그대는 용사 일에 힘쓰게. 길드는……."

"그만두지 않을 거야."

도중까지 말한 리프의 말을 막았다.

그건 전부터 정해두고 있었다. 길드 탈퇴 이야기를 꺼낼 것 같으면 말할 생각이었다.

"용사와 모험가를 겸임할 생각인가?"

"그럴 생각이야."

"그건 용사를 너무 경시하는 짓이야. 그대의 실력은 인정하나 사람을 구하는 일은 쉽지 않아. 용사의 책임만을 다하게."

이견은 듣지 않겠다는 태도.

이게 소리아가 말하고 싶었던 것이리라.

사전에 아무것도 모르면 고개를 끄덕여버릴 것만 같다.

"용사가 되는 것은 스피와 약속했으니까 하는 거지, 길드를 사퇴하는 건 의리를 저버리는 짓이야. 하지만 날 크제라 기사단에서 구해준 길드에—— 리프에게도 은혜가 있어."

"크크, 그렇게 말해주는 건 기쁘구먼. 하나, 이미 충분히 보답받았네. 무리한 일을 시킬 생각은 없어."

한 발짝도 물러설 생각이 없는 것 같다.

그만큼 리프의 의지가 굳다는 뜻일 것이다.

그러는 와중에 뒤에서 지원 사격이 날아왔다.

"지드는 '배신자'가 되진 않을 거야."

네림이었다.

그녀의 발언에 리프가 숨을 죽였다.

"아는가. 적이 어디에 숨어있는지……."

"적어도 여기엔 없다고 생각하는데. 실라나 쿠에나와는 꽤 오랫동안 쭉 같이 있었고. 지드의 각오는 잘 봤어. 아스테라 측에 가도 물들 위험은 한없이 적을 거야."

무슨 이야기를 하는 걸까.

하지만 내가 지금 바로 대화에 끼어들어 방해하는 짓은 할 수 없다. 내 진퇴를 정하기 위한 이야기이니, 쓸데없이 끼어들기 어렵다.

리프가 팔짱을 끼고 고개를 갸웃거렸다.

"…………."

아아, 역시 어린아이를 바라보고 있는 것처럼 마음이 느슨해져.

하지만 그런 외모를 가지고 있는 것과는 달리 내 상상으로는 따라갈 수 없을 정도로 머릿속에서는 수많은 상황을 상정하면서 고민하고 있을 것이다.

"넌 날 같은 편으로 끌어들이고 싶겠지. 분명 목적은 같을 테니까. 하지만 내가 보기에 여기서 가장 수상한 건 너야."

"확실히 그렇지. 이거 한 방 먹었구먼."

리프가 재밌다는 듯이 웃었다.

"널 믿어주길 바란다면, 내가 믿는 저들을 받아줘. 지드는 말할 것도 없고, 실라도 쿠에나도 강해."

묘하게 설득력이 느껴지는 말이었다.

리프가 천장을 바라보면서 한숨을 쉬며 미소 지었다.

"알았다. 믿겠다."

"전엔 믿지 않은 거야?"

쿠에나가 섭섭한 듯이 말했다.

그건 나도 동감이었다.

난 리프를 믿었던 만큼, 짝사랑하고 있었던 것처럼 가슴의 아픔을 느꼈다.

"아니, 원래부터 믿고 있었지. 신용이 신뢰로 랭크업 했다고 해야 할까."

그 사소한 단어 변화의 의미는 이해가 잘 안 됐다.

하지만 랭크업이라면 더 좋아졌다고 생각해도 좋을 것이다.

그것만으로도 기쁘다고 느끼는 난 너무 단순한 걸까.

"그럼 사정을 설명해줄래? '아스테라의 추종자'라든가 '용사'라든가 하는 이야기를 말이야."

"음. 우선은 이 몸의 과거부터 이야기해야겠지."

그리고 리프가 이어서 말했다.

"이 몸은 두 세대 전의 '현자'였다."

"'진짜?'"

나와 실라가 놀라움을 표했다.

쿠에나는 아는 듯했다.

네림도 고개를 끄덕였다.

"뭐, 그렇겠지. 참고로 난 몇 세대야?"

"9세대 전이지. 역대 최강이라 불렸던 만큼, 지금도 이름이 자주 거론되고 있네."

"그래……. 우리 이후로 여덟 세대나 더 그런 일을……."

"아니, 전부는 아니네. 4세대 전과 8세대 전은 무사했다. 모두가 천수를 누렸지."

"그건 다행이야. 정말, 다행이야."

"저기요~. 사정을 설명해주는 거 아니었어~?"

실라가 물었다.

"미안하네, 미안해. 어쨌든, 이 몸과 네림은 현자와 검성이면서 용사라 불리는 자와 어깨를 견주는 존재였다. 인간 중에서도 뛰어나게 우수했지."

자기 입으로 그런 말을 하냐, 그런 딴지는 없었다.

리프가 우수하다는 사실은 이 자리에 있는 모두가 인정하는 것이다.

이번 일에서는 나도 리프의 매직 아이템이 없었다면 죽었을 것이다.

"그런데 왜 아스테라교에 반기를 드는 거야?"

"그들이 처음부터 이 몸과 모두를 죽일 계획을 세우고 있었기 때문이니라."

"……어~ 그러니까. 무슨 소리야?"

"그대로의 의미야. 지드, 용사 파티가 나타나는 건 언제지?"

"마왕이 나타났을 때지."

"음, 그렇다. 마왕은 강하다. 그 힘으로 대륙 지배를 꾀하는 게지."

"그게 마족인걸."

실라가 말했다.

그렇다.

7대 마귀족이 가장 좋은 예일 것이다.

힘이 곧 전부인 녀석들이었다.

"하지만 생각해보게나. 강한 자란 힘 쓰는 법을 알려주는 존재이기도 하지. 이 세계가 약육강식이라는 것을 다시금 가르쳐주는 존재인 게야."

"그다지 좋은 표현은 아니네."

"혐오감을 품는 것도 이해하지만, 안타깝게도 역사가 증명해버렸네. 초대 용사가 누구인지 알고 있나?"

"레이니스."

쿠에나가 당연하다는 듯이 답했다.

물론 난 모른다.

실라는 어떨지 보려고 얼굴을 들여다봤다.

흐흥 하고 웃으며 자랑스러워했다.

아, 이건 '알고 있었다'라는 얼굴이다.

역시 기사 학교 수석답다.

리프에 대해서도 알아두라고 하고 싶은 생각이 들었지만, 가만히 있자. 아무것도 모르는 내가 할 수 있는 말이 아니니 말이다.

"아니, 틀렸네."

……틀렸냐!

의기양양한 표정이었던 실라가 '꽝~!'이라며, 어디선가 효과음을 내면서 놀라고 있었다.

"무슨 소리야? 레이니스가 맞잖아. 웨이라 제국 황실에서 배운 내용인걸. 틀렸을 리 없어."

"물론 역사는 그렇게 되어있지. 하지만 진짜 역사는 다르다.

초대 용사는 따로 있었다."

"그건……."

"'아스테라의 추종자'에게만 알려지는 이야기네. 마왕을 토벌한 뒤에 감화되어버린 불쌍한 남자의 욕망의 이야기……. 대륙을 지배하려고 한 또 한 명의 마왕이 바로 초대 용사이니라."

"그런 역사가 있었구나."

"루이나는 알고 있겠지. 그 녀석도 '아스테라의 추종자'이니 말이야."

그 말은 곧 웨이라 제국의 황실이라 하더라도 알 수 없는 이야기라는 의미였다. 이걸 아는 건 멤버들 뿐.

"그렇게 숨기는 이유가 뭐야?"

"여러 이유가 있지만, 용사 칭호의 실추를 막기 위해서지. 초대 용사가 욕망에 사로잡혀 대량 학살을 일으켰다는 이야기를 누가 좋아하겠나."

어째 숨겨진 역사는 상상 이상으로 끔찍한 모양이다.

"그렇구나…… 그래서, 그 이야기랑 무슨 상관이 있지?"

"초대 용사가 마왕으로 타락한 것을 보고 아스테라교는 방침을 바꿨다네. 뛰어난 힘을 가진 인간도 마왕과 함께 묻어버리기로 한 것이지."

"──."

네림과 리프의 비통한 얼굴이 인상적이었다.

"굳이 용사 파티만? 강한 인간이 그들만 있던 건 아니잖아? 왜 굳이······."

"중요한 건 영향력이야. 대규모 전쟁에서 사람을 움직이려면 영웅이 필요하네. 하지만 전시에는 도움이 되었던 카리스마도 전후에는 쓸데없는 영향력이 되지. 초대 용사도 마왕을 토벌한 뒤에 국왕으로서 폭권을 휘둘렀으니. 아마 실제로는 용사 파티 외에도 비밀리에 처분된 인물들이 있었을 게야."

"그래도 용사 파티를 비극의 중심에 놓고 이야기하는 이유는 우리가 직접적인 피해자였기 때문이기도 하지만, 어느 세대를 보더라도 구성원 대부분이 확실하게 죽었기 때문이야."

리프의 말에 네림이 덧붙였다.

"너무해······ 그럼, 리프랑 사검의 파티에 있던 사람도 살해당했어?"

"그래, 내가 있던 파티에서는 믿고 있던 용사가 우리에게 칼을 겨눴어. 이후에 용사도 병에 걸려 죽었다는 소문을 들었지만, 십중팔구 살해당했겠지."

"이 몸의 경우에는 성녀가 배신하였다. 다만 이 몸은 '아스테라의 추종자'에 마법 기술을 제공하는 조건으로 거래하여 목숨을 건졌지."

"마법 기술?"

"음. 예를 들면, 네림이 받은 저주 마법에 대항하는 매직 아이템이 그러하지. '아스테라의 추종자'가 가진 최강급 마법을 무력화하지 않았나. 이는 놈들의 계획이 파탄 나는 것을 의미하지."

"그걸 막으려고 리프를 동료로 끌어들인 거야?"

"뭐, 그렇지. 원래는 이 몸을 죽일 생각이었던 듯하나, 저주 마법에 완벽하게 대처한 실력을 높이 산 것이겠지."

침착한 척하고 있다.

하지만, 알 수 있다.

속에 간직한 분노는 끝이 없다.

리프는 동료가 죽었는데 '다행이군, 이 몸만이라도 살아서'라고 말할 타입이 아니다.

"……나였으면 '아스테라의 추종자'를 전부 죽였을지도 몰라."

나지막이 중얼거렸다.

이에 리프가 고개를 끄덕였다.

"이 몸도 그렇게 하고자 했네. 그러나 놈들의 전모를 파악할 수가 없었지. 냉정하게 모든 정보의 진위를 확인해야 했네. 확실하게 근절하지 않으면 의미가 없으니 말이야."

"나와는 정반대네."

네림이 말했다.

그녀는 아스테라와 관련된 모든 것을 철저하게 부쉈다.

그건 실라를 구한다는 목적이 있었으니 어쩔 수 없다고는 생각하지만.

둘의 행동은 대조적이지만 목적은 같다.

"이 몸은 '아스테라의 추종자'에게 이용당하고 있네. 하지만 그건 전부 조직을 붕괴시키기 위해서이지."

그 각오에 바로 반응한 사람은 쿠에나였다.

"상대가 얼마나 큰지는 알고 말하는 거야?"

물론 리프가 모를 리가 없다.

쿠에나보다 더 잘 알고 있을 것이다.

바로 내부의 인간이니 당연하다고도 할 수 있다.

그래도 쿠에나가 굳이 물어본 건, 그만큼 리프가 말하는 일이 얼마나 어려운지 알기 때문이다.

"물론. 그래서 '아스테라의 추종자'의 입김이 닿지 않은 실력자를 몇 명 숨겨뒀다네. 길드의 S랭크들이 대표적이지. 그 외에도 전력이 있네."

"하지만 용사 파티에는 검성 로이터와 매직 아이템을 다루는데 뛰어난 현자 에이겔이 있어. 특히 그는 마법 없이 현자로 선택받은 천재야. 게다가 신자 중에도 A랭크 쯤은 넘치도록 있겠지."

"음. 상대도 만만하게 볼 수는 없네. 하지만 네림은 이쪽에 붙을 게 아닌가? 현재도 역대 최강이라 칭송받는 검성이고."

"그 조직을 부술 수 있다면 얼마든지. 힘을 아끼지 않을 거야."

그리고 리프도 있다.

그녀의 마법 실력은 의심할 여지가 없다.

용사 파티 대부분을 죽인 '아스테라의 추종자'가 위험을 감수하며 살려둘 정도였으니까.

직접 본 건 몇 번 정도밖에 없지만, 지식의 깊이와 기술의 섬세함은 헤아릴 수 없다.

게다가 길드까지 움직일 수 있다면, 대륙 굴지의 군사력을 자랑하는 조직이 같은 편에 있는 것과 같은 게 아닐까.

"그리고 그대들이 있네."

리프의 눈이 날카롭게 빛났다.

옆에서 쿠에나가 어깨를 으쓱였다.

"무얼 포장하고 그래. 가장 원하는 건 지드잖아."

"겸손 떨지 마라, 쿠에나. 그대도 실력만이라면 S랭크라 해도 과언이 아니지."

"어? 나는?!"

실라가 몸을 앞으로 확 내밀었다.

리프가 쓴웃음을 지으며 고개를 끄덕였다.

"실라도 강하지. 일기당천이야."

"아자~!"

빈말은 아니겠지만, 이건 그냥 실라를 달래주는 거 아닌가?

"그러니 그대들의 답을 들려줬으면 하네. 물론 거절해도 된다네."

쿠에나와 실라가 나를 봤다.

그녀들은 말려든 사람들이니, 내 대답에 따를 생각일 것이다.

"……'아스테라의 추종자'가 그러는 이유도 나는 조금 이해가 돼. 나조차도 '금기의 숲속'에서 보낸 어릴 때를 떠올릴 때마다 악몽을 꿔. 강한 녀석에게 괴롭힘당하는 공포는 그만큼 무시무시하지."

193

"안심해라. '아스테라의 추종자'를 붕괴시킬 계획은 하나가 아니야. 하기에 따라서는 누구도 죽이지 않고 이룰 수 있지."

"아아, 그런가."

리프의 말을 듣고 자연스럽게 납득했다.

그녀라면 그 계획을 완수할만한 지략을 짜내고 있을 것이다.

큰 조직인 길드를 이끌 정도의 인물이니, 믿어도 좋을 것이다.

리프에게 힘을 빌려주느냐, 빌려주지 않느냐.

(……만약 힘을 빌려주면?)

많은 적을 만들게 된다.

우선은 로이터다.

녀석은 강하다.

길드 최강이라는 말을 듣고 있었다.

나와 싸우면 어떻게 될까.

……이길 수 있을까?

그리고 에이젤도.

꼬치구이집 아들과는 싸우고 싶지 않은데.

그리고 매직 아이템과의 싸움도 상상이 안 된다.

나에게 은혜를 느끼고 있다고 했지만, 분명 적으로 돌리게 될 것이다.

"미안하구먼. 사실은 시간을 주고 싶지만, 이 자리에서 정해야만 하네."

리프가 대답을 재촉했다.

"……신성공화국도 적이 되나?"

"그렇게 되겠지."

그렇다면.

소리아와 필도 적이 된다.

싸우고 싶지 않은데.

그녀들도 나와 같은 생각이면 좋겠지만, 나처럼 우유부단하진 않을 것이다.

둘 다 할 때는 하는 녀석들이다.

난 어떨까.

막상 적이 되면 서로 죽일 수 있는가.

스피…….

'아스테라의 추종자'가 저지른 비인도적인 행위는 조금도 모르 겠지.

만약 알고 있다면 막으려 할 것이다.

난 스피와 '용사'가 되기로 약속했다.

그건 죽기 위해서가 아니다.

스피가 바라는 구세주가 되기 위해서다.

사람을 구하는 길이다.

괜찮다.

스피는 전장에 안 나오겠지.

리프도 되도록 평화적으로 해결해줄 것이다.

(그래, 답은 정해져 있었어.)

리프의 눈을 봤다.

거짓말은 하지 않는다.

"협력할게. '아스테라의 추종자'가 저지른 짓은 용서할 수 없어."

"그런가. 그런가……. 다행이군. 고맙네."

리프의 말에는 안도가 담겨있었다.

분명 여기가 운명의 갈림길일 것이다.

그만한 중대사가 정해졌다는 것을 머리로도 본능으로도 이해하고 있었다.

제4화 앞으로

쿠에나의 집은 크다.

원래는 어떤 귀족이 왕도에서 거주할 목적으로 지었다고 한다.

그 후에 귀족 집안이 망해 빈집이 되었고, 쿠에나에 손에 넘어갔다.

1세대 한정 남작가가 지은 집이건만, 손님을 불러도 아쉽지 않을 만큼 넓었다.

(그러니 빈방은 그럭저럭 있었을 텐데.)

원래는 쿠에나 혼자 사는 집이었다.

그러나 후에 실라가 들어왔다.

그래서 비어 있던 방을 셋 써서 침실과 창고로 삼았다. 집이 없어졌으니 다소의 짐은 어쩔 수가 없을 것이다.

그 후 나도 함께 살게 되었다.

짐은 거의 없었기에 난 방 하나로 충분했다.

"……남은 방이 없어?"

내 맞은편에 앉은 쿠에나가 고개를 끄덕였다.

"응. 다른 방은 무기나 야영용 도구로 꼭 찼어."

그 옆에 앉은 실라가 턱에 손을 댔다.

"그렇구나……."

내 옆에서 네림이 팔짱을 끼며 말했다.

"난 내 거점이 있으니 신경 안 써도 돼."

"그러면 안 되지. 앞으로 할 일을 생각하면 되도록 함께 있는 편이 안전해. 그리고 아직 진·아스테라교에서 널 노리는 사람이 있을지도 몰라. 윗선의 명령을 받지 않아도 사람을 죽이는 녀석들인걸."

"뭐, 윗선의 명령에 따르지 않을 거라는 건 알고 있지만. 그들은 군 소속이 아니니까."

그렇다.

즉, 이것은 새로운 손님이 온 것으로 인해 생긴 방 부족 문제다.

정확히는 침실이 부족하다.

참고로 나도 네림과 같은 이유로 숙소를 잡을 수 없다.

갑자기 '딱!' 하고 실라가 손뼉을 쳤다.

"——지드가 내 방에 오면 되는 거 아냐?!"

"왜 그렇게 되는 건데. 그럴 거면 네림이랑 실라가 같이 사는 게 효율적이지 않아?"

확실히 그렇게 하는 편이 더 납득이 된다.

애초에 네림이 사검이었을 때는 실라와 함께 숙박했으니 자연스럽다.

실라가 쭈뼛거리며 양손의 검지를 붙였다가 뗐다가 하며 내 쪽을 힐끔힐끔 봤다.

"······그, 그치만, 나랑 지드는 사귀는 사이인걸······?"

귀, 귀여워.

파괴력 발군의 얼굴을 보고 나도 모르게 가슴이 두근거렸다.

아직 해도 지지 않았는데 벌써 침실에 가고 싶다.

그럼 자극적인 속옷을 입은 실라가 양팔을 벌리면서 '기다리고 있었어, 지드♡' 하며 날 맞이하는 거지.

내일의 기력뿐만 아니라 밤의 기력도 솟을 것 같다.

"하! 실라한테 말하는 게 늦어졌지만, 나도 지드랑 사귀고 있거든?"

"뭐, 뭐라고?! 그게 진짜야?!"

실라가 놀란 얼굴로 쿠에나를 봤다.

"거, 거짓일 리가 없잖아······."

쿠에나는 당당하게 말했지만, 지금 와서 수치심이 이겼는지 아무에게도 시선을 맞추지 않고 얼굴을 빨갛게 물들였다.

아아, 귀엽다.

평소가 다부진 만큼, 감춰진 수줍음을 봐서 가슴이 죄이는 듯했다.

문득 실라가 나와 쿠에나의 얼굴을 번갈아 가며 보면서 말했다.

"그럼 침실은 두 개면 충분한 거 아냐? 우리 셋이 자는 방이랑 네림의 방."

그 혁명적이라 할 수 있는 발상에 누구보다 경악한 사람은 나였다.

이렇게나 귀여운 두 사람이…… 침실에?!

그것도 나랑…… 같이?!

그랬다가는 침실에 처박혀서 영영 나가지 않을 것 같다.

쿠에나와 실라를 침실로 납치할 것이다.

그리고 끝내는 또 기사단에 신세를 지겠지.

춤을 춰버릴 것만 같지만, 네림의 절제된 목소리가 나를 현실로 되돌렸다.

"──잠깐 기다려. 나만 어색한데."

헛기침하면서 자신의 존재를 호소했다.

""그건 그렇네…….""

나와 실라가 동조했다.

실라는 굉장히 아쉬워하는 듯한 목소리였다.

분명 나도 그런 느낌의 목소리를 냈을 것이다.

하지만 속에서는 눈물을 흘리고 있었다.

"차라리 지드랑 네림이 같은 방을 쓰는 건 어때?"

실라가 과감한 제안을 했다.

네림이 테이블을 탕 치면서 일어섰다.

"그게 제일 이상하잖아?!"

맹렬한 반대였다.

그렇게까지 부정을 당하면 기분이 슬퍼진다.

하지만 정론이니 어쩔 수 없다.

"그럼 내가 소파에서 자는 수밖에 없나."

가만히 중얼거렸다.

"뭐어? 매일? 몸이 결리지 않을까?"

"그건 뭐……."

하지만 숲에서 살던 시절을 생각하면 소파도 천국으로 느껴질 정도다.

땅바닥에서 잔 적도 있고, 애초에 잠을 잘 수 없는 환경이었기에, 그 정도 불편함은 문제도 아니다.

뭐, 침대에서 잘 수 있다면 사양하진 않겠지만.

하루하루가 그렇다면 더더욱.

결국 실라의 말에 동의할 수밖에 없었다.

"지드는 숙소에 돌아가는 게 어때?"

그건 네림의 의견이었다.

조금 냉담하다고 생각했는지, 네림이 보충하듯이 이어서 말했다.

"솔직히 말해서 몸을 되찾은 나보다 지드가 더 강하잖아. 너 혼자라면 언제든 바로 도망칠 수 있고. 아니, 오히려 누가 오든 격퇴할 수 있지 않아?"

객관적으로 분석한 결과일 것이다.

실제로 용사가 되면 진·아스테라교에 의해 앞으로 내 인상은 상당히 개선되어갈 것이다.

설령 여관에서 묵어도 짓궂은 짓을 당하는 일은 없을 것이다.

"그렇기는 한데, 으음. 여관에 폐를 끼칠 것 같단 말이지……."

"오히려 지금보다 더 사람이 모여들걸."

쿠에나가 헤아려줬다.

확실히 용사가 되면 지금보다 더 사람이 밀어닥칠 것이다.

그야말로 악의적인 의뢰로 길드를 혼란스럽게 만들어버릴 정도로.

"그럼 고급 여관을 써야 하는데……. 그런 데는 모험가를 안 받는 곳이 더 많아. 게다가 의뢰 때문에 숙소 밖에서 자는 날도 있을 텐데, 그런 고급 숙소를 놀리는 건 금전적으로 아깝지."

돈이 없는 건 아니다.

하지만 궁상떠는 성질이 몸에 배어서 정신적으로 힘들다.

그 외에도 이유가 있다.

고가의 여관에 머물면 식사비도 같이 나간다.

이제야 겨우 고급스러운 요리에 위가 익숙해진 참인데, 그걸 매일 먹었다간 거부반응으로 죽을지도 모른다.

식사를 빼달라고 하는 방법도 있겠지만.

(값은 식사가 포함되었을 때와 다르지 않단 말이지…….)

역시 마음이 괴롭다.

궁상떠는 성질은 어떻게 보면 저주다.

"그럼, 차라리 더 큰 집을 산다던가?"

실라의 좋은 아이디어에 네림이 대답했다.

"그런 게 남아 있어?"

"왕성에 더 가까운 곳에 전 공작가의 저택이 있어!"

"그럴 거면 차라리……."

우물우물.

쿠에나가 말하기 거북한 듯이 입술을 살짝 물기도 하고, 몸을 비비 꼬았다.

"왜 그래?"

석연치 않은 쿠에나의 태도에 실라가 다가가서 물었다.

하지만 역시 쿠에나는 우물거렸다.

"……아…… 으……."

뭔가 말하고 있을 것이다.

목소리가 너무 작아 안 들리지만, 확실히 말이 이어지고 있다는 것만큼은 알 수 있었다.

"애 애, 안 들리니까 큰 소리로 말해볼래?"

실라가 쿠에나의 목소리를 들으려고 다가갔다.

쿠에나가 팔에 힘을 딱주고 입을 크게 열었다.

"어차피 이사 갈 거면 일부일처인 크제라 왕국보다 일부다처제인 웨이라 제국이 좋다고!"

움찔!

얼굴을 가까이 댔던 실라가 큰 성량에 뛸 듯이 놀랐다. 마치 고양이 같은 반응이다.

"까, 깜짝이야~."

"며, 몇 번이나 물으니까 그렇잖아……."

난 잘못 없다, 그렇게 말하는 듯이 쿠에나가 팔짱을 끼고 시선을 돌렸다. 일련의 행동은 부끄러움을 얼버무리기 위해 하는 것처럼 보였다.

한 박자 뒤에 실라가 쿠에나가 한 말을 이해했다.

"아~ 그런가. 그럼 웨이라 제국에 집을 알아볼까? 큰 편이 좋겠지?"

"잠깐만. 리프와 멀어지는 건 곤란하지 않을까? 모험가 길드 본부가 있는 여기가 나을 것 같은데."

네림이 엄숙하게 말했다.

적절한 지적이었지만, 이야기를 원점으로 되돌리고 말았다.

"차라리 크제라 왕국의 법을 일부다처제로 바꾸는 게 어때?"

"그게 무슨 소리야. 차라리 길드 본부를 제국으로 옮기는 편이 더 쉽겠다."

그러고 보니 크제라의 정권이 한 번에 교체되면서 인구와 영토가 격감했던 시기가 있었다.

지금은 크제라 힘을 어느 정도 회복했지만, 그때는 길드 본부를 다른 곳으로 옮기자는 의견이 있었다고 한다.

어느 쪽이든 어려운 일이겠지. 어차피 쿠에나도 실라를 타이르려고 본부 이동 건을 거론했을 것이다.

결국 둘 다 당장은 어려운 일이다.

"……하아. 알았어. 내가 참으면 되는 일이지."

네림이 포기한 듯이 한숨을 쉬었다.

"그, 그그그, 그러면 우리가 미안하잖아!"

실라가 양손을 저으면서 사양했다.

네림이 기가 막힌다는 태도로 고개를 저었다.

"인간의 기본 욕구니까, 이해할 수 있어. 어차피 네가 지금까지 지드를 생각해서 저지른 행동도 다 아는 마당에 새삼스러운 일이고. 내가 말 안 했던가? 사검은 감각도 어느 정도 공유한다고?"

"뭐, 뭐뭐뭐, 뭐라고……?!"

실라의 시선이 여기저기로 흔들렸다.

나와 시선이 맞았을 때 유독 격렬하게 흔들린 건 기분 탓일까.

쿠에나가 눈도 못 마주치겠다는 듯이 얼굴을 가리고 있었다.

"쿠에나도 모르는 척하고 있지만, 보나 마나 할 건 다 했겠지. 너만 살짝 지드랑 괜찮은 분위기 나고 있는데."

"뭐, 뭐어어어어?!"

쿠에나가 비명 같기도 하고 호통 같기도 한, 혹은 수치심을 감추려고 지르는 비명과 같은, 그런 느낌의 소리를 내면서 네림을 위협했다.

네림은 당연하다는 태도로 어깨를 으쓱였다.

"이젠 뭔가 완전히 내려놓아서 개운해졌어. 좋잖아, 좋아하면 좋아하는 거지. 결혼할 생각이잖아?"

"그, 그건 그렇지만……!"

실라가 머뭇거리면서 수긍했다.

푸슉 하고 뜨거워 보이는 증기가 올라왔다. 환각인가.

"지금 같은 상황에 아이를 만드는 건 찬성할 수 없지만, 즐기는 정도는 마음대로 해도 되지 않을까? 남자도 남자의 사정이 있을 거고?"

네림의 시선이 내게 향했다.

윽.

최대한 입을 다물고 있는 게 피해가 적다고 생각했는데, 대답에 따라서 내 진퇴가 결정될 것 같았다.

"뭐, 뭐…… 그렇긴 한데."

"그럼 바람피우는 일이 없도록, 둘 다 노력해야지."

이거…….

한여름이 아닐까 싶을 정도로 방이 더웠다.

그렇게 느끼는 건 나뿐만이 아니었다.

쿠에나도 실라도 땀을 줄줄 흘리면서 눈을 이리저리 돌리고 있었다.

"지, 지드는 바람 안 피우거든! 그치! 그치?!"

실라의 열정에 데일 것만 같다.

하지만 네림의 시선은 싸늘했다.

"그건 모르지. 사람의 마음은 변하는 법이거든."

마음에 찬물을 끼얹자 조금 이성이 돌아왔다.

"솔직히 말해서 쿠에나도 실라도 나한테는 아까울 정도로 미인이고 귀여워. 언제나 같이 있으면 마음에 편해질 정도로 성격도 만점이야."

"……설마 여기서 더 꼬실 줄은."

네림이 기겁하며 말했다.

쿠에나가 부끄러움에 고개를 숙였다.

"으윽! 내가 보기엔 지드가 더 아까울 정도야!"

실라가 날 꼬옥 끌어안으며 말했다.

그 귀여운 목소리와 큰 가슴에 압박되어 마음이 파란에 휩싸였다.

이래저래 기운이 날 것 같다.

"너희들……. 뭘 하든 적어도 내가 잘 때 해. 그냥 놔두면 대낮부터 저질러댈 기세네, 정말."

"맡겨둬!"

실라가 엄지를 세우며 네림에게 대답했다.

아무래도 실라도 내려놓은 듯했다.

쿠에나는 어쩌면 좋을지 몰라서 지금도 계속 고개를 숙이고 있었다.

내가 그걸 어떻게 아냐고?

──지금 내 기분도 똑같기 때문이다.

네림이 이어서 말했다.

"……너희 침실과 내 방은 가능한 한 떨어져 있으면 좋겠어. 그리고 지드, 너는 정말 이걸로 괜찮아?"

네림의 의도를 파악할 수 없다.

그보다 머리가 잘 안 돌아간다.

이성보다 본능이 이기고 있을 것이다.

어쩔 수 없이,

"뭐가……?"

되물었다.

역시 네림은 부끄러운 듯이 시선을 맞춰주지 않았다.

"뭐냐니…… 매일은…… 피곤할 때도 있잖아?"

"맡겨줘!"

실라가 다시 엄지를 척 세우며 대답했다.

내 대답보다 빨랐다.

뭔가 좋은 생각이 있는 모양이다.

"맡겨달라니. 그건 여자들이 어떻게 할 수 있는 문제야?"

"지드가 피곤한 날은 저도 옆에서 푹 잘 겁니다!"

"그렇구나——……!"

내려놓은 자들끼리 하는 대화는 대단할 정도로 바보 같을 것이다.

드디어 내 머리도 냉정함을 지니기 시작했다.

그건 쿠에나도 마찬가지였는지 겨우 복귀했다.

"————딱히 세태가 어떻다고 해도 아이는 만들겠지만."

그 이야기를 다시 꺼내는 건가…………————!!

잘 보니 쿠에나는 얼굴이 달아오른 그대로였다.

아무래도 이쪽도 내려놓은 모양이다.

뭐냐, 이 연쇄반응은.

"아니, 딱히 안 말릴 건데! 말릴 권리 없는데! 그건 그거대로 위험하잖아?!"

네림이 지극히 당연한 대답을 했다.

하지만 쿠에나에게 도리가 통할 리도 없다.

"그만큼 강해지면 문제없어."

너무 바보 같아서 귀엽다.

평소가 늠름하고 고상하고 성실한 만큼 더더욱 그렇게 느껴졌다.

그리고 옆에서 실라가 딱 하고 손가락을 튕겼다.

"그렇네!"

"너도?!"

아이를 만들 예정 · 두 명째가 생긴 순간이었다.

이곳의 분위기가 폭주하고 있다.

그걸 막을 방법이 있었으면 좋았을 것이다.

하지만 안타깝게도 난 분위기를 수습하는 방법 따위는 모른다.

이게 마력이었으면 좋았을 텐데.

(그래도 좋네. 이 느낌. 화기애애해서.)

솔직한 감상이었다.

지금도 쿠에나와 실라, 그리고 네림이 대화를 나누고 있었다.

그걸 듣는 내 표정도 자연스럽게 풀어졌고.

문득 네림이 한 말을 떠올렸다.

(……바람.)

이렇게나 좋은 여자가 둘이나 내 곁에 있다. 이 이상의 행복을 바라면 신에게 뺨을 맞을 것이다.

그리고 어쩌면 과거로 돌려보내져 기사단 시절이나…… 아니면 금기의 숲속 때부터 다시 살아야 할 가능성도 있다.

하지만 지금 와서 생각났다.

아니, 잊고 있었던 건 아니다.

어떻게 하면 좋은지, 계속 생각하고 있었다.

하지만 답이 나오지 않았다.

여태껏.

(──유이.)

난 그녀에게── 고백을 받았다.

하지만 대답은 유이가 기다려주고 있다.

그건 내 염치없는 행동이다.

고백받았을 때 쿠에나와 실라가 뇌리를 스쳐 지나갔다.

그래서 보류하고 있다.

그로부터 시간이 제법 지났다.

어쩌면 그녀도 그 말을 잊고 있을지도 모른다.

아니, 유이는 그런 녀석이 아니다.

무엇보다 그렇다고 하더라도 대답하지 않으면 실례일 것이다.

(난······ 왜······.)

마음속의 답은 정해져 있다. 나에겐 쿠에나도 실라도 있으니, 이 이상은 분수를 모르는 것이다.

무엇보다 쿠에나나 실라와 같이 있으면 알게 된다.

일부다처라는 것은 주변머리가 필요하다.

사랑을 배분하는데도 한도가 있는 것이다.

쿠에나도 실라도 분명 내가 두 사람을 사랑하는 것만으로도 참아주고 있을 것이다.

(그러니 유이에게는······.)

어쩌면 처음부터 답은 정해져 있었던 걸지도 모른다.

난 겁이 많으니까 유이가 상처를 입지 않았으면 했다.

그래서 거절할 방법을 모색하고 있었다.

다음에 만나러 갈 수 있는 건 언제일까.

혹시 리프에게 말하면 전달해줄까.

갑자기 길드 카드가 울렸다.

그것도 쿠에나와 실라와 동시였다.

활기찼던 분위기가 일단락되었다.

명백히 긴급한 연락이라 모두가 일제히 시선을 돌렸다.

"이건······."

쿠에나가 불쑥 중얼거렸다.

가장 관계가 있는 것이 그녀이기 때문이다.

내용은 충격적이었다.

확실히── 그건 긴급사태였다.

'웨이라 제국의 여제, 서거'

루이나의 죽음.

그건 도저히 생각할 수 없는 일이었다.

하지만 그뿐만이 아니다.

마력이 공간에서 회전했다.

"이건…… 전이?!"

네림의 말을 듣고 실라도 경계심을 드러냈다.

반응하지 못하는 건 쿠에나일까.

얼굴에는 비장감을 띠고 있었다.

털썩.

두 사람의 형체가 방에 떨어졌다.

"유이……? 엇, 루이나잖아?!"

검은 머리에 군복을 입은 소녀.

방금까지 전투가 있었는지 곳곳에 모래 먼지와 찢어진 상처가 있었다.

그런 유이에게 보호받듯이 안긴 사람은 쿠에나와 비슷한 얼굴을 가진 열화와 같은 색의 머리카락을 가진 여자였다.

루이나 웨이라.

뉴스의 1면을 장식하는 여자가 나타났다.

"너, 너 살아있었어?!"

맨 먼저 달려든 사람은 쿠에나였다.

"뭐냐, 성급한 바보가 벌써 내 죽음을 알렸나? 아니면, 설마 너희까지 적에게 삼켜진 건 아니겠지?"

확실히 리프에게 들었다.

루이나는 아군이 될 수 있는 존재라고.

즉, 그녀도 '아스테라의 추종자'와 적대관계가 될 가능성이 있다.

"안심해라. 우린 한패다."

"그렇고말고. 그러니 이렇게 미리 준비해둔 매직 아이템으로 여기에 왔으니까. 그럼—— 어떤 사정부터 듣고 싶지?"

여제는 우리의 생각을 꿰뚫어 보았는지 당당한 모습으로 문답을 권했다.

후기

지오입니다.

우오~! 마지막의 실라의 일러스트 너무 대단합니다, 유우야 선생님!

그리고 이번에도 마감을 지키지 못하는 어리석은 작가 같은 짓을 하고 말았습니다. 각 방면에 계신 여러분께는 폐를 끼쳐 죄송합니다.

이래저래 담당편집자님께 엎드려 절하고 싶을 따름입니다.

자, 드디어 이야기도 가경에 접어들기 시작했습니다.

아직 겉으로 드러나지 않은 각 방면의 생각과 히로인과의 대화…… 그리고 나타난 쿠에나의 강적이자 지드의 첫키스 상대 루이나 선배! 그리고 유이가 한 고백의 행방은……?!

마감에 쫓기면서 열심히 하겠습니다.

THE SLAVE OF THE "BLACK KNIGHTS" IS RECRUITED BY THE "WHITE ADVENTURER'S
GUILD" AS A S RANK ADVENTURER Vol.06
©2022 Jio
First published in Japan in 2022 by OVERLAP, Inc.
Korean translation rights reserved by Somy Media, Inc.
Under the license from OVERLAP, Inc., Tokyo JAPAN

악덕 기사단의 노예가 착한 모험가 길드에 스카우트 되어 S랭크가 되었습니다 6

2023년 07월 15일 1판 1쇄 발행

저 자 지오
일 러 스 트 유우야
옮 긴 이 박정철
발 행 인 유재옥
본 부 장 조병권
편 집 1 팀 김준균 김혜연
편 집 2 팀 박치우 정영길 정지원 조찬희
편 집 3 팀 오준영 이소의 이해빈
편 집 4 팀 박소연 전태영
디 지 털 김지연 박상섭 윤희진
라이츠담당 김정미 맹미영 이윤서
미 술 김보라 박민솔
발 행 처 ㈜소미미디어
인쇄제작처 ㈜코리아피엔피
등 록 제2015-000008호
주 소 서울시 마포구 토정로222, 403호 (신수동, 한국출판콘텐츠센터)
판 매 ㈜소미미디어
영 업 박종욱
마 케 팅 박수진 최원석 최정연 한민지
물 류 백철기 허석용
전 화 (02)567-3388, Fax (02)322-7665

ISBN 979-11-384-7938-7
ISBN 979-11-384-0731-1 (세트)